D1472958

Préparer autrement les petits gâteaux

COUVERTURE
Des pétales de rose et de freesia, glacés au sucre, décorent des mini-gâteaux fourrés de crème au kirsch (recette, p. 70). Une toute petite portion de cette crème, fouettée pour en augmenter le volume et allégée de blanc d'œuf battu en neige ferme, leur confère du moelleux sans les alourdir de calories inutiles.

ÉDITIONS TIME-LIFE

DIRECTRICE DES ÉDITIONS EUROPÉENNES : Ellen Phillips
Directeur artistique : Ed Skyner
Directrice administrative : Gillian Moore
Secrétaire générale de la rédaction : Ilse Gray
Assistante du directeur artistique : Mary Staples

VOYAGE À TRAVERS L'UNIVERS
LES ENFANTS DÉCOUVRENT...
CHEFS-D'ŒUVRE DE LA PEINTURE
LES MYSTÈRES DE L'INCONNU
TIME-LIFE HISTOIRE DU MONDE
BONNE FORME, SANTÉ ET DIÉTÉTIQUE
LA BONNE CUISINE SANTÉ
LE MONDE DES ORDINATEURS
PEUPLES ET NATIONS
L'ENCYCLOPÉDIE TIME-LIFE DU BRICOLAGE
LA PLANÈTE TERRE
LA GRANDE AVENTURE DE LA MER
CUISINER MIEUX

Titre original : *Fresh Ways with Patisserie*

Authorized French language edition

ISBN : 2-7344-0441-9

LA BONNE CUISINE SANTÉ

DIRECTRICE DE LA COLLECTION : Jackie Matthews
Accessoiriste : Liz Hodgson
Adjointe à la rédaction : Eugénie Romer

Comité de rédaction de *Préparer autrement les petits gâteaux*
Rédactrice : Frances Dixon
Documentaliste : Ellen Dupont
Maquettiste : Paul Reeves
Secrétaire de rédaction : Christine Noble

DÉPARTEMENT PHOTO :
Responsable : Patricia Murray
Coordination : Amanda Hindley

RÉALISATION :
Chef de fabrication : Maureen Kelly
Assistante de fabrication : Samantha Hill
Saisie : Theresa John, Debra Lelliot

ÉDITION FRANÇAISE :
Direction : Dominique Aubert, Michèle Le Baube
Secrétaire de rédaction : Catherine Cullaz
Traduit de l'anglais par : Bernadette Saurel

LES AUTEURS

JOANNA BLYTHMAN cuisine et crée des recettes pour son plaisir. Elle est propriétaire d'une boutique de traiteur à Édimbourg. Elle collabore à de nombreuses revues spécialisées.

SILVIJA DAVIDSON a étudié à la Leith's School of Food and Wine et s'est spécialisée dans l'adaptation de recettes lituaniennes.

JANICE MURFITT s'est occupée de la chronique gastronomique du magazine *Family circle.* Elle est l'auteur de *Cheese cakes and flans, Entertaining friends* et *Rice and pasta.*

HILARY WALDEN est une technicienne de la cuisine et une rédactrice de livres de cuisine chevronnée. Elle collabore à nombre de revues spécialisées et est l'auteur de nombreux ouvrages parmis lesquels *Home Baking* et *The Book of French Patisserie.*

Les personnes suivantes ont, elles aussi, créé des recettes de ce volume : Maddalena Bonino, Joanna Farrow, Yvonne Hamlett, Carole Handslip, Rosemary Wadey, Lorna Walker, Jeni Wright.

LES CHEFS

La préparation des plats à photographier a été réalisée par Pat Alburey, Jacki Baxter, Jill Eggleton, Joanna Farrow, Anne Gains, Carole Handslip, Dolly Meers, Janice Murfitt, Jane Suthering, Rosemary Wadey.

Assistante : Rita Walters.

CONSEILLÈRE CULINAIRE

PAT ALBUREY est spécialiste d'économie domestique, avec une longue expérience de préparation des plats à photographier, d'enseignement et de création de recettes. Elle a collaboré à nombre d'ouvrages culinaires et a été conseiller pour la photo dans la collection « Cuisiner mieux » des Éditions Time-Life.

CONSEILLÈRE EN NUTRITION

PATRICIA JUDD a reçu une formation de diététicienne et a acquis une expérience dans des centres hospitaliers avant de retourner à l'Université où elle a obtenu licence et maîtrise. Depuis 10 ans, elle donne des conférences sur la nutrition et la diététique à l'université de Londres.

Les analyses nutritionnelles contenues dans *Préparer autrement les petits gâteaux* proviennent du McCance et Widdowson's *The Composition of food* par A.A. Paul et D.A.T. Southgate, et d'autres sources reconnues.

Le présent ouvrage fait partie d'une collection de livres de cuisine qui attachent un soin particulier à la préparation d'une nourriture saine à l'intention de tous ceux qui surveillent leur poids et sont intéressés par une alimentation équilibrée.

Préparer autrement les petits gâteaux

PAR

LES RÉDACTEURS DES ÉDITIONS TIME-LIFE

ÉDITIONS TIME-LIFE • AMSTERDAM

Table des matières

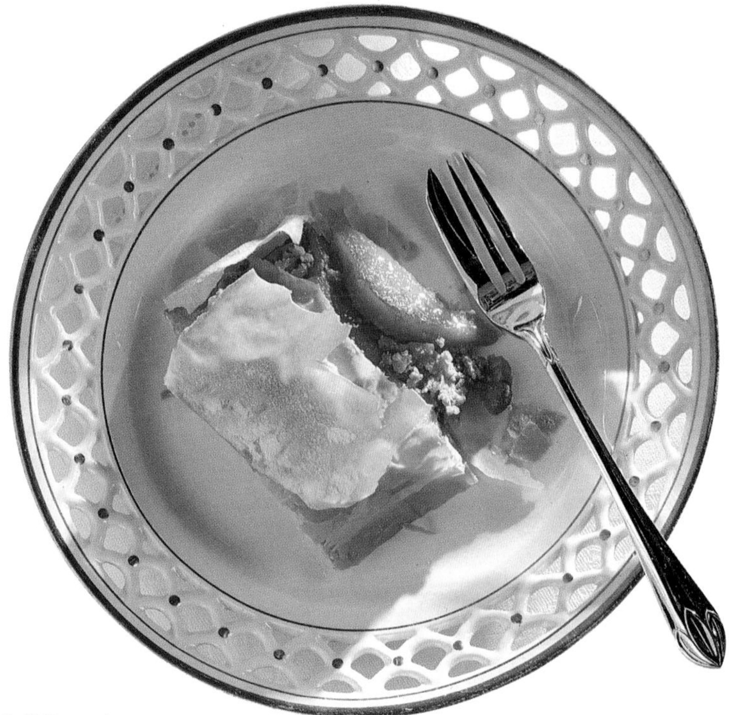

Feuilletés aux coings

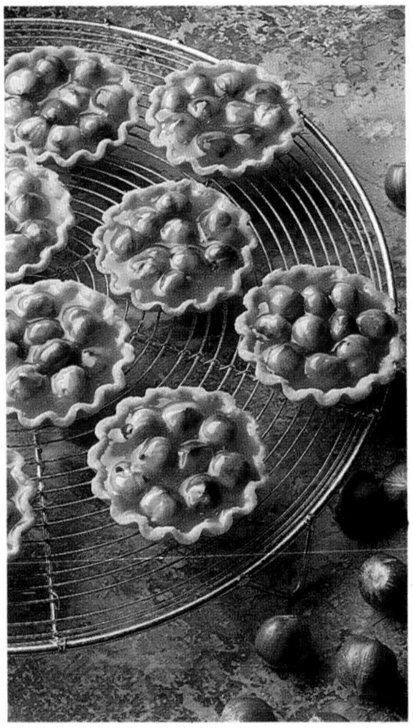

Tartelettes aux noisettes

Éclairs aux pommes et au caramel

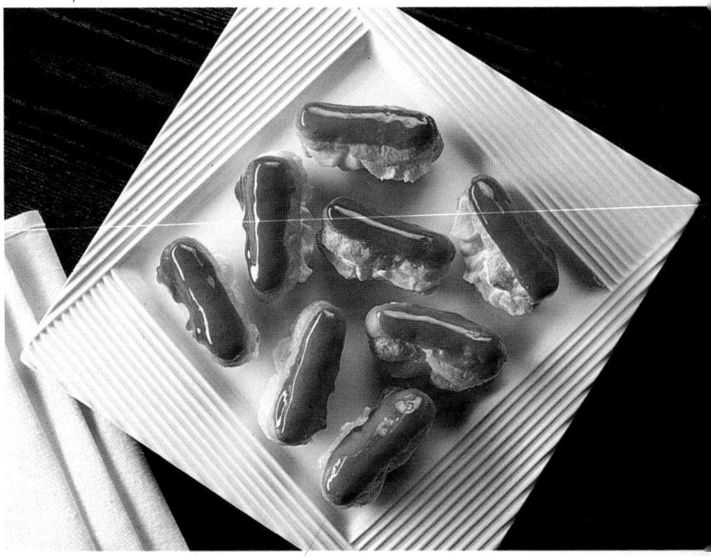

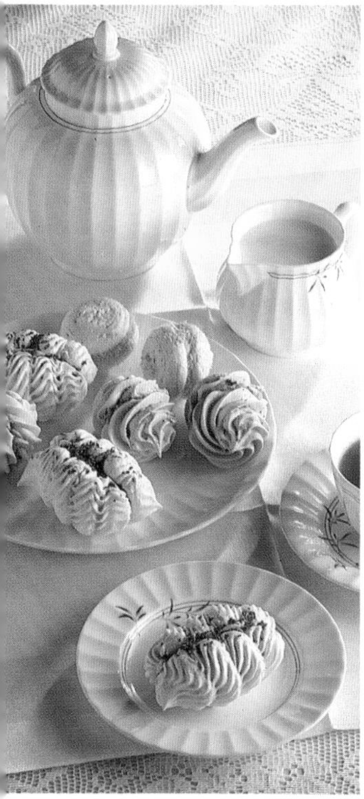

io de meringues

3 Confiseries délicates 103

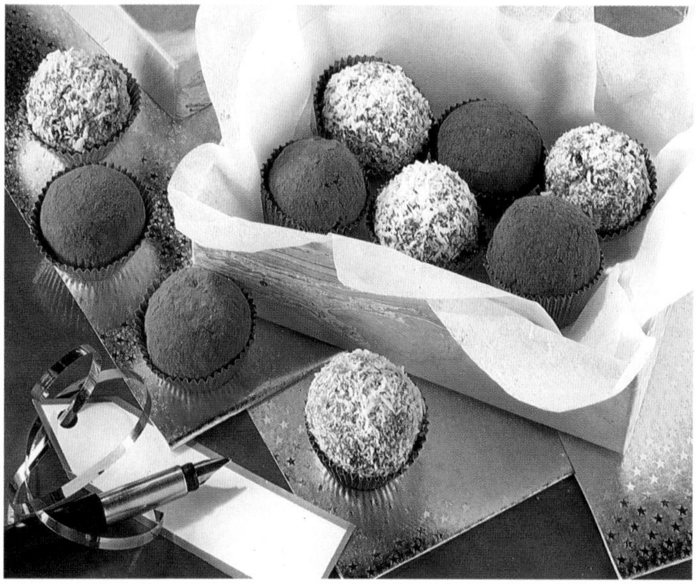

Bonbons au sirop d'érable

Roulade aux poires épicées

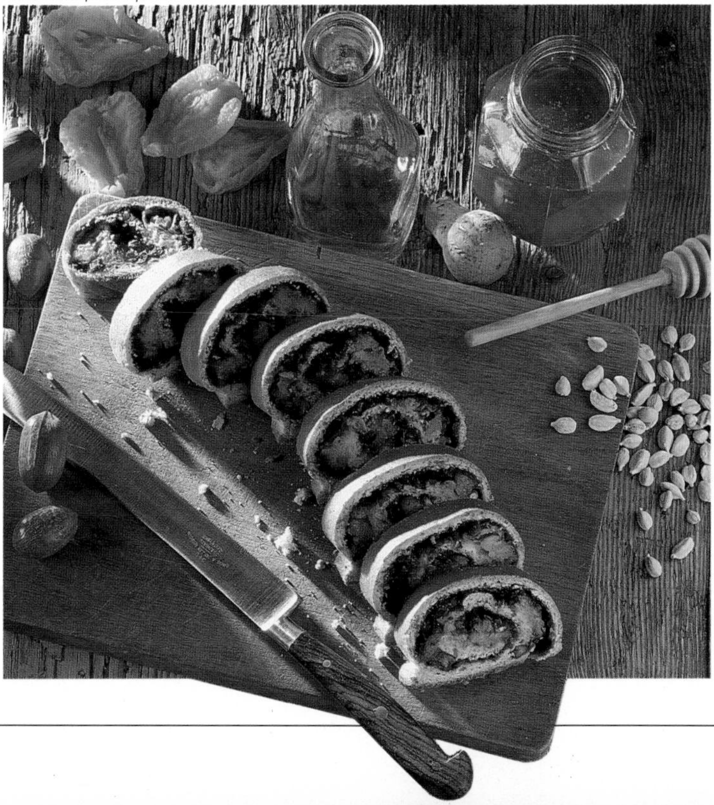

4 Le four à micro-ondes 129

La nouvelle pâtisserie

Aussi plaisante à l'œil qu'au palais, la pâtisserie est certainement la branche la plus fascinante de l'art culinaire. Les ingrédients les plus simples — farine, sucre, beurre, œufs et crème — se transforment, par la magie du cuisinier, en pâte croustillante, choux très tendres, meringue fondante et génoise aérienne, embellis par une grande variété de chocolats, de fruits secs ou frais et de glaçages.

Certes, il ne s'agit pas là d'aliments essentiels et on les consomme uniquement pour le plaisir. Faut-il pour autant les exclure d'une alimentation saine ? Un tel sacrifice n'est heureusement pas nécessaire et, à condition de réduire leur teneur en graisses, en cholestérol et en sucre, les pâtisseries peuvent être consommées avec modération. En fait, une alimentation assurant un apport quotidien de 2 000 calories peut fort bien comporter une pâtisserie et un dessert sucré, à condition de réduire la teneur en graisses et en sucre des autres aliments consommés dans la journée. D'ailleurs, la plupart des 120 recettes de ce livre apporte moins de 250 calories par portion individuelle.

Beaucoup sont des créations nouvelles qui répondent aux exigences actuelles d'une nourriture plus légère et plus saine, mais vous trouverez également des variantes de certains grands classiques de la pâtisserie française tels les coquilles en meringue, les éclairs au chocolat, les petits fours glacés et autres gourmandises figurant au palmarès des maîtres pâtissiers. Le but recherché dans cet ouvrage est de plier ces vedettes aux exigences d'une alimentation équilibrée alors même que les qualités qu'on leur reconnaît sont traditionnellement dues à l'onctuosité et à la saveur du beurre, à la consistance veloutée des œufs, à la richesse de la crème fouettée et à la douceur du sucre, des fruits confits et du chocolat.

Élaborer la nouvelle pâtisserie

Les auteurs y sont parvenus, d'une part, en recourant à une réduction judicieuse d'ingrédients tels que le sucre et le jaune d'œuf, et en leur substituant d'autres produits donnant le même effet sans les inconvénients et, d'autre part, en utilisant de manière plus judicieuse les garnitures. Ces méthodes, conçues et expérimentées dans les cuisines-laboratoires de La Bonne Cuisine Santé ont produit des résultats qui ne le cèdent en rien, pour la saveur, la texture ou l'aspect, aux pâtisseries et gâteaux traditionnels.

La teneur en sucre a été réduite au minimum en diminuant, chaque fois que c'était possible, la proportion de sucre dans la pâte et en évitant les glaçages épais et les farces écœurantes. Toutefois, la douceur étant l'essence et la raison d'être de la pâtisserie, et le sucre étant un élément structurel indispensable des meringues et de bien d'autres friandises, il est très rare qu'il en soit totalement absent.

À poids égal, les graisses apportent deux fois plus de calories que le sucre ; c'est pourquoi on en utilise tout juste la quantité nécessaire pour obtenir les résultats souhaités. Alors que la plupart des recettes de pâtisseries à base de filo exigent habituellement que chaque feuille soit abondamment enduite de beurre, les recettes de ce livre permettent d'obtenir des résultats comparables avec des quantités de beurre très réduites. La crème est, elle aussi, utilisée avec parcimonie et avec autant de succès. Là où l'utilisation de crème fouettée est exigée, on peut en réduire la quantité en la mélangeant avec du blanc d'œuf battu, pauvre en calories. Dans certaines recettes, on obtient d'excellents résultats en remplaçant la crème par du fromage blanc ou du yaourt.

Quand on utilise des matières grasses, la quantité n'est pas le seul élément à prendre en considération. Le choix du type de graisse — qu'il s'agisse de graisses polyinsaturées d'origine exclusivement végétale ou de graisses saturées, comme le beurre, provenant essentiellement de sources animales — est au moins aussi important.

Dans la pratique, il s'agit de choisir entre le beurre et une margarine molle polyinsaturée. À noter que beaucoup de margarines dures contiennent presque autant de graisses saturées que le beurre. L'huile, quel que soit son type, ne peut remplacer le beurre ou la margarine car, du fait de sa densité différente, il est impossible d'incorporer de l'air dans le mélange en le battant. À poids égal, la teneur en calories est sensiblement la même pour toutes les matières grasses.

Le choix de la margarine polyinsaturée est uniquement justifié par des considérations diététiques car, en ce qui concerne la saveur, le beurre ne peut être égalé. Mais une solution de compromis raisonnable peut prévaloir. Dans ce livre, l'emploi du beurre n'est recommandé que dans les cas où ses qualités spécifiques permettent d'avoir un produit radicalement différent. Toutes les autres recettes recommandent l'emploi de margarine polyinsaturée. Il est évident que toutes ces recommandations peuvent être modulées pour s'adapter aux besoins et aux préférences de chacun.

Certains aliments contiennent par eux-mêmes du cholestérol qui peut contribuer à accroître celui du sang. Le jaune d'œuf, ingrédient indispensable de nombre de pâtisseries, en comporte une grande quantité. Bien que le cholestérol contenu dans un aliment ait moins d'effet sur le taux de cholestérol dans le sang que celui que nous fabriquons nous-mêmes à partir des graisses saturées, il est néanmoins recommandé de limiter la consommation d'aliments qui en contiennent beaucoup. Le jaune d'œuf, tenu pour le principal agent liant de certaines préparations, peut être remplacé par d'autres produits.

Les nouvelles conceptions relatives aux gâteaux sont illustrées dans les 4 recettes présentées pages 10 et 11. Beaucoup de pâtisseries sont un assemblage d'ingrédients précuits et ces recettes fournissent la base des compositions qui sont proposées plus loin ainsi que de vos propres créations. Alors que la génoise traditionnelle contient 4 œufs pour 125 g de farine, dans la recette de la page 11, un des jaunes d'œufs a disparu remplacé par un blanc d'œuf qui contribue à lier le mélange et à le faire lever ; parallèlement, la quantité de beurre a, elle aussi, été notablement réduite.

La crème pâtissière, autre constante de la pâtisserie française, est, dans sa version classique, épaissie par des jaunes d'œufs, mais la recette de la page 11 remplace une partie de ces jaunes par de la maïzéna et du blanc d'œuf. La pâte à choux de la page 10 est faite avec la moitié des œufs et du beurre habituellement requis. La pâte brisée, sur la même page, n'a pas été enrichie avec des œufs et du sucre comme dans la plupart des recettes traditionnelles ; elle contient de la margarine polyinsaturée. En bref, toutes les pierres angulaires de la pâtisserie classique ont été revues selon des critères plus sains.

De bons ingrédients, utilisés judicieusement

Les génoises les plus légères, les fonds de tarte les plus croustillants, les meringues les plus aérées et les pâtes à chou les plus tendres exigent les meilleurs ingrédients pour atteindre l'éphémère perfection que l'on attend d'une bonne pâtisserie. C'est pourquoi l'on préfère généralement la farine blanche tamisée à la farine complète qui donne, après cuisson, un produit plus dense au goût de noisette prononcé. Le sucre semoule blanc est le principal édulcorant utilisé dans la pâtisserie mais les sucres roux, dont la valeur nutritive ne dépasse pas celle des sucres raffinés, sont parfois choisis pour leur goût plus corsé ou pour la couleur dorée qu'ils communiquent à la meringue ou aux fonds de tarte. L'avantage du miel par rapport au sucre ordinaire tient à son pouvoir édulcorant, une fois et demie plus important, à poids égal, mais son goût très particulier ne permet pas de généraliser son utilisation.

Les blancs d'œufs jouent un rôle primordial dans la pâtisserie, en donnant de la légèreté aux gâteaux, aux mousses et aux garnitures, sans en augmenter la teneur en graisses et en cholestérol et en n'y ajoutant qu'un minimum de calories (moins de 20 pour 1 blanc d'œuf). Avant de battre les blancs d'œufs en neige, il convient de les séparer des jaunes car la graisse que ces derniers contiennent a pour effet d'empêcher les blancs de monter. Cette séparation peut s'opérer soit en laissant couler le blanc à travers les doigts dans un bol, soit en passant le jaune de l'une à l'autre moitié de la coquille, en laissant tomber le blanc dans le bol. Dans un cas comme dans l'autre, il est recommandé de laisser tomber chaque blanc d'œuf dans un petit bol à part avant de l'ajouter aux autres. Vous éviterez ainsi qu'un jaune, se défaisant pendant que vous cassez l'œuf et se mélangeant au blanc, n'abîme tous les autres blancs. Bols et batteurs doivent être rigoureusement propres. Évitez d'employer des bols en plastique, qu'il est très difficile de débarasser de toute trace de graisse, et utilisez de préférence des bols en verre, en porcelaine ou, mieux encore, en cuivre.

Les mousses légères utilisées pour les farces et les garnitures sont faites de fromages maigres, allégées avec de blancs d'œufs et raffermies avec de la gélatine ; elles contiennent moins de calories que les mousses, aux œufs entiers et à la crème, de la pâtisserie traditionnelle.

Les fruits occupent une place prépondérante dans les recettes qui suivent, en raison de leur douceur intrinsèque, de leur couleur et de leur saveur. Ils sont, de surcroît, sains, riches en cellulose, en vitamines et en sels minéraux tout en étant pauvres en calories. Comme le miel, ils doivent leur douceur naturelle au fructose qu'ils contiennent. Choisissez-les frais et mûrs. Les fruits de conserve seront écartés car leur aspect et leur goût sont loin d'égaler ceux des produits frais mais, si vous ne disposez pas de fruits frais, vous pouvez les remplacer par des produits surgelés. Les framboises, les mûres, les airelles, les groseilles à maquereau et la rhubarbe conviennent parfaitement à la préparation de coulis et de purées. Vous trouverez facilement dans nombre de magasins, et même au marché, des fruits

Les secrets de l'équilibre

« La Bonne Cuisine Santé » répond aux préoccupations actuelles d'hygiène alimentaire en proposant des recettes conformes aux exigences des diététiciens. Une bonne alimentation suppose un certain équilibre entre ses différentes composantes. Les recettes devront donc être choisies judicieusement en fonction de tout ce qu'on a mangé dans la journée. Pour faciliter ce choix, on se reportera à l'analyse des substances nutritives qui figure en regard de chaque recette et dont un exemple est donné ci-contre. Sauf indication contraire, cette analyse correspond à un seul petit gâteau ou à une part d'un gâteau plus grand. Les chiffres mentionnés pour les calories, les protéines, le cholestérol, le total des lipides, les acides gras saturés et le sodium sont approximatifs.

Comment lire le tableau

Le tableau qui figure au bas de cette page indique les quantités moyennes de calories et de protéines nécessaires à l'organisme d'hommes, de femmes et d'enfants en bonne santé, telles que les a fixées le U.K. Department of Health and Social Security; les chiffres indiqués pour les lipides sont donnés par le National Advisory Committee on Nutrition Education, ceux concernant le cholestérol et le sodium sont fournis par l'Organisation Mondiale de la Santé.

La collection « La Bonne Cuisine Santé » n'est pas une collection d'ouvrages de diététique et ne privilégie pas les produits de régime. Elle propose une cuisine raisonnable qui, certes, utilise sel, sucre, crème, beurre et huile mais avec modération et qui, pour donner plus de goût à la nourriture, emploie encore d'autres ingrédients tels que fruits frais et secs, épices, zestes, jus et boissons alcoolisées.

Dans ce volume, on s'est efforcé de limiter à 250 calories la valeur énergétique de chaque portion et de réduire pour chacune d'elles la teneur en lipides et en acides gras saturés à 10 et 5 g, respectivement.

Calories **220**
Protéines **5 g**
Cholestérol **60 mg**
Total des lipides **6 g**
Acides gras saturés **3 g**
Sodium **20 mg**

Dans certains cas cependant, on s'est permis de forcer un peu sur le sucre ou les matières grasses parce qu'il le fallait pour obtenir la saveur ou la consistance désirées ou pour que le gâteau soit bien cuit.

Les recettes présentées ici n'exigent rien d'exceptionnel. Bien sûr, elles font appel à des produits frais tout en proposant des produits de remplacement pour le cas où les premiers ne seraient pas disponibles. Notez toutefois que les produits de remplacement ne sont pas pris en compte dans l'analyse chiffrée.

La plupart des ingrédients peuvent s'acheter dans n'importe quel supermarché. Les moins familiers sont décrits dans le glossaire que vous trouverez page 138. Pour vous aider à maîtriser les techniques nouvelles, des photos ont été ajoutées là où cela semblait nécessaire.

Les temps de cuisson

Étant donné que les produits employés sont de préférence des produits frais, la préparation peut prendre un peu plus de temps que si l'on emploie des produits préconditionnés, mais cette « perte de temps », toute relative, sera largement compensée par ce qu'on aura gagné en qualités gustatives, et souvent aussi en valeur nutritive.

Pour vous permettre de programmer votre repas, « La Bonne Cuisine Santé » a évalué de manière approximative pour chaque recette le « temps de préparation » et la « durée totale ».

Par « temps de préparation », il faut entendre le temps de présence active à la cuisine. La « durée totale » comporte, en sus du temps de préparation, la durée de la macération ainsi que le temps qu'un gâteau met à cuire et à refroidir à température ambiante, au réfrigérateur ou au congélateur sans qu'on ait besoin d'être présent. À cause des différences entre les fours, et entre les moules à gâteaux et à tartelettes, les durées indiquées sont une moyenne. La durée totale comporte aussi le temps de repos éventuellement nécessaire à un gâteau pour que sa structure soit consolidée.

Recommandations diététiques

		Consommation quotidienne moyenne		**Consommation quotidienne maximale**			
		CALORIES	PROTÉINES *grammes*	CHOLESTÉROL *milligrammes*	TOTAL DES LIPIDES *grammes*	ACIDES GRAS SATURÉS *grammes*	SODIUM *milligrammes*
Femmes	7-8	1900	47	300	80	32	2000*
	9-11	2050	51	300	77	35	2000
	12-17	2150	53	300	81	36	2000
	18-54	2150	54	300	81	36	2000
	54-74	1900	47	300	72	32	2000
Hommes	7-8	1980	49	300	80	33	2000
	9-11	2280	57	300	77	38	2000
	12-14	2640	66	300	99	44	2000
	15-17	2880	72	300	108	48	2000
	18-34	2900	72	300	109	48	2000
	35-64	2750	69	300	104	35	2000
	65-74	2400	60	300	91	40	2000

*(ou 5 g de sel)

tropicaux, importés. C'est pourquoi nous avons incorporé dans plusieurs de nos recettes des fruits exotiques tels que kumquats, kiwis, fruits de la passion et physalis.

La dernière touche

À la table des grands seigneurs des 18e et 19e siècles, la pâtisserie était si lourdement et si richement décorées qu'un des plus grands confiseurs de l'époque, Antonin Carême, l'assimilait davantage à l'architecture qu'à la cuisine. Il est heureux pour nos cuisiniers amateurs que l'on ne tienne plus aujourd'hui pour nécessaire, ni souhaitable, de charger d'une ornementation excessive la belle pâtisserie. Les garnitures présentées dans les pages qui suivent sont tout à la fois élégantes dans leur simplicité et parfaitement accessibles à la plupart des amateurs : elles apportent une touche finale qui n'exige pas des heures de travail en cuisine et n'ajoute pas, au produit fini, des dizaines de calories indésirables.

Une couche légère de sucre glace suffit pour décorer la plupart des petits gâteaux : on peut réussir des décorations variées en couvrant une partie de la surface du gâteau avec des motifs en carton avant de la saupoudrer de sucre glace. On peut obtenir des effets comparables, et des variations de couleur, en remplaçant le sucre par du cacao. Le sucre glace peut être délayé dans de l'eau, ou du jus de fruits, pour faire un mince glaçage, étalé à la cuillère ou une poche à douille. Au lieu d'appliquer sur le gâteau une couche compacte, vous pouvez dresser quelques lignes pour créer un effet visuel maximal assorti d'un minimum de calories.

L'éclat soyeux d'un habillage de caramel embellit gâteaux et confiseries ; son goût délicieux et sa consistance croquante valent largement la peine que l'on se donne pour le faire, en mettant à chauffer du sucre et un peu d'eau jusqu'à ce qu'il commence à embaumer. Grâce à la palette de ses coloris et de ses saveurs, la confiture ajoute sa note à ce festival.

De tous les ingrédients utilisés dans la pâtisserie, le chocolat est celui qui, pour beaucoup, symbolise le mieux la quintessence de la friandise. Il doit sa richesse et son onctuosité au beurre de cacao que l'on ajoute, en cours de fabrication, aux fèves moulues, adoucies par adjonction de grandes quantités de sucre (jusqu'à 60 % du poids total). À cause de sa teneur en graisses, même le chocolat noir contient une fois et demie autant de calories que le sucre ; le chocolat au lait, avec 1 % seulement de lipides en plus, n'est guère plus riche en calories. Le cuisinier soucieux de diététique doit acheter le meilleur chocolat noir, contenant au moins 52 % de cacao sous forme solide, et, de ce fait, moins de sucre. Le goût très prononcé de ce chocolat permet d'en utiliser moins.

Le chocolat, même quand il est utilisé avec parcimonie, permet de réaliser des effets décoratifs remarquables, grâce à sa consistance exceptionnelle. Quand on le fait fondre à feu doux, il se liquéfie, ce qui permet de s'en servir pour des décorations réalisées soit à l'aide d'une poche à douille soit avec une cuillère, ou encore de l'utiliser comme un bain dans lequel vous pouvez faire tremper des petits gâteaux ou des confiseries. Vous pouvez aussi le verser dans un petit plateau pour en faire une plaque mince. Une fois durcie en refroidissant, cette plaque pourra être coupée en petits carrés pour faire des coffrets pour petits fours ou raclée avec un couteau bien aiguisé pour faire des copeaux. Toutes ces techniques sont décrites aux pages 12 et 13.

Matériel nécessaire

Une cuisine équipée pour la fabrication des pâtisseries peut contenir un assortiment considérable de casseroles, de plateaux, de couteaux, de douilles et de moules de toutes formes et de toutes dimensions, d'instruments spéciaux pour dénoyauter les cerises, débiter des lanières de zeste, un puissant batteur électrique, un mixeur. Beaucoup de ces instruments, bien qu'ils soient utiles et performants, ne sont pas absolument nécessaires.

Les seuls instruments vraiment indispensables pour faire de la pâtisserie sont une balance fiable et un assortiment de cuillères à mesurer. En effet, la réussite des gâteaux et des pâtisseries est conditionnée par le strict respect des mesures recommandées. Le thermomètre n'est pas indispensable pour réussir certaines recettes telle celle du caramel, par exemple, dont on peut évaluer la cuisson d'après la couleur ; mais on ne peut pas s'en passer pour d'autres stades de cuisson du sirop comme celui du grand boulé, par exemple.

Une bonne connaissance du fonctionnement de votre four est également essentielle car la durée de la cuisson peut beaucoup varier d'un four à l'autre. Les durées indiquées dans chaque recette s'appliquent à des fours conventionnels. Si vous disposez d'un four à chaleur tournante, dans lequel la chaleur circule plus vite, tenez-vous-en à la durée de cuisson indiquée et réduisez la température (jusqu'à 40° en moins) : appliquez les directives du fabricant. Les fours à micro-ondes ne sont pas seulement précieux pour la préparation de certains ingrédients avant l'assemblage final, mais ils peuvent servir à produire la pâtisserie d'un bout à l'autre de sa fabrication.

La pâtisserie peut terminer, pour votre plaisir, n'importe quel repas, mais elle est particulièremet appréciée pour elle-même, servie avec une tasse de thé ou de café. En contrôlant strictement les ingrédients utilisés dans les pâtisseries que vous confectionnez, vous pouvez vous faire plaisir, tout en vous conformant aux exigences d'un régime sain.

Quatre recettes de base

Pâte brisée

Pour 275 g
Temps de préparation et durée totale : 10 mn

175 g de farine ordinaire
1 c. à c. de sucre
90 g de margarine polyinsaturée, glacée
1 blanc d'œuf, légèrement battu

Tamisez dans un grand bol la farine et le sucre. Ajoutez la margarine et frottez du bout des doigts jusqu'à obtention d'un mélange granuleux. Ajoutez le blanc d'œuf et mélangez à l'aide d'un couteau à lame arrondie pour en faire une pâte. Assemblez-la en boule ferme et pétrissez-la un peu sur une surface légèrement farinée jusqu'à ce qu'elle soit lisse ; ne pétrissez pas trop longtemps pour éviter que la pâte ne devienne huileuse et dure, une fois cuite. Étendez-la selon vos besoins.

NOTE : *la pâte brisée pourra être conservée, enveloppée dans une pellicule plastique, jusqu'à une semaine au réfrigérateur et trois mois au congélateur.*

Pâte à choux

Temps de préparation et durée totale : 15 mn

125 g de farine ordinaire
1/8 de c. à c. de sel
75 g de beurre
2 œufs
1 blanc d'œuf

Tamisez la farine et le sel sur une feuille de papier sulfurisé. Mettez le beurre avec 25 cl d'eau dans une casserole à fond épais et faites chauffer à feu doux jusqu'à ce que le beurre soit fondu ; montez un peu le feu et portez à ébullition. Retirez la casserole du feu et jetez-y toute la farine, en battant vigoureusement avec une cuillère en bois. Remettez la casserole sur le feu et continuez de battre avec la cuillère en bois jusqu'à ce que le mélange forme une boule au milieu de la casserole. Retirez-la du feu et laissez refroidir pendant quelques minutes.

Battez légèrement ensemble les œufs et le blanc d'œuf et, en vous servant d'un fouet électrique ou d'une cuillère en bois, battez vigoureusement pour incorporer petit à petit les œufs dans le mélange refroidi. Battez vivement après chaque addition et continuez de battre jusqu'à obtenir une pâte lisse et luisante. Utilisez une poche à douille ou une cuillère pour donner à la pâte à chou les formes souhaitées.

Génoise

Pour une génoise de 30 × 20 cm
Temps de préparation : 20 mn
Durée totale : 1 h

3 œufs
1 blanc d'œuf
90 g de sucre semoule
125 g de farine ordinaire
30 g de beurre, fondu et légèrement refroidi

Préchauffez le four à 180° (thermostat : 4), beurrez un moule rectangulaire de 30 × 20 × 4 cm et chemisez le fond de papier sulfurisé.

Mettez dans un bol les œufs, le blanc d'œuf et le sucre semoule. Posez le bol au-dessus d'une casserole d'eau chaude non bouillante sur feu doux et fouettez à l'aide d'un batteur électrique pour avoir un mélange épais, très pâle. Retirez le bol de sur la casserole et continuez de battre jusqu'à ce que le mélange soit refroidi et qu'il fasse le ruban quand on soulève le fouet. Tamisez dessus la farine puis incorporez-la délicatement à l'aide d'une cuillère en métal. Ajoutez, petit à petit, le beurre fondu.

Versez la pâte dans le moule, égalisez la surface, enfournez et faites cuire 25 à 30 mn jusqu'à ce que la génoise soit bien levée, souple au toucher et très légèrement rétractée par rapport aux parois du moule. Démoulez délicatement sur une grille et détachez le papier sulfurisé sans le retirer. Posez une deuxième grille sur le papier et retournez les deux grilles de façon que le gâteau se trouve posé sur le papier. Retirez la grille du dessus et laissez refroidir.

Crème pâtissière

Pour 30 cl
Temps de préparation : 25 mn
Durée totale : 1 h 50 (temps de réfrigération inclus)

2 jaunes d'œufs
30 g de sucre semoule
30 g de farine ordinaire, tamisée
15 g de maïzéna, tamisée
30 cl de lait écrémé
1 c. à c. d'essence de vanille
2 c. à s. de yaourt grec, crémeux
1 blanc d'œuf

Mettez dans un bol les jaunes d'œufs et la moitié du sucre semoule. Fouettez jusqu'à avoir un mélange épais puis incorporez la farine et la maïzéna.

Faites chauffer, dans une casserole, le lait et l'essence de vanille jusqu'à ce qu'ils soient chauds mais non bouillants. Ajoutez, petit à petit, le lait chaud dans les œufs au sucre, en battant, puis retournez ce mélange, en le passant à travers un tamis en nylon, dans la casserole ; faites chauffer en remuant, sur feu doux, jusqu'à ce qu'il commence à bouillir, puis laissez frémir, en remuant constamment, pendant 5 ou 6 mn jusqu'à éliminer toute trace de goût de farine crue. Retirez la casserole du feu, transférez la crème dans un bol, couvrez la surface d'une pellicule plastique pour éviter la formation d'une peau. Laissez refroidir 10 mn puis mettez au réfrigérateur pendant 15 à 20 mn, jusqu'à ce que la crème soit presque froide.

Battez la crème et ajoutez, en fouettant toujours, le yaourt. Battez, dans un autre bol, le blanc d'œuf en neige ferme et ajoutez le reste du sucre ; incorporez, petit à petit, le blanc d'œuf dans la crème, couvrez le bol d'une pellicule plastique et mettez-le au réfrigérateur pendant 1 h au moins.

Crème pâtissière à l'orange : ajoutez au lait le zeste finement râpé d'une orange. Ajoutez, en fouettant, 1 cuillerée à soupe de Grand Marnier dans la crème refroidie avant d'ajouter le blanc d'œuf battu.

Crème au chocolat : faites fondre 30 g de chocolat à croquer dans le lait chaud.

Crème à la liqueur : ajoutez une cuillère à soupe de cognac, de rhum, de cointreau ou de kirsch dans la crème refroidie avant d'y incorporer le blanc d'œuf.

Le chocolat va plus loin

Le chocolat est un défi pour le pâtissier féru de diététique. Très recherché pour son arôme incomparable et son onctuosité, il n'en demeure pas moins chargé de graisses et de calories : 30 grammes de chocolat noir renferment 143 calories et 10 grammes de graisses dont 6 sont des graisses saturées. La réponse à ce dilemme est d'en utiliser avec parcimonie, mais qu'il paraisse abondant.

Une garniture de chocolat râpé sera aussi appétissante qu'un épais nappage. Vous pouvez aussi décorer vos gâteaux de copeaux *(à droite)*, de minces feuilles découpées en formes géométriques *(ci-dessous)*, ou de fines broderies réalisées à l'aide d'une poche à douille *(page ci-contre)*. Le chocolat brûle s'il est exposé à une chaleur directe. Pour faire fondre du chocolat, cassez-le en morceaux dans un bol posé sur une casserole d'eau frémissante et remuez-le avec une cuillère.

Copeaux en chocolat

1 *ÉTALER LE CHOCOLAT. Huilez légèrement un plan de travail ; faites fondre du chocolat dans un bol placé au-dessus d'une casserole d'eau chaude puis versez-le sur le plan de travail et étalez-le à l'aide d'une spatule en métal en une couche aussi mince que possible ; laissez-le refroidir et durcir.*

2 *FORMER LES COPEAUX. Poussez l'extrémité de la lame d'un couteau ou un racloir à lame rigide et large sous le chocolat et roulez-le d'un mouvement continu pour former des copeaux.*

Carrés et rectangles lisses

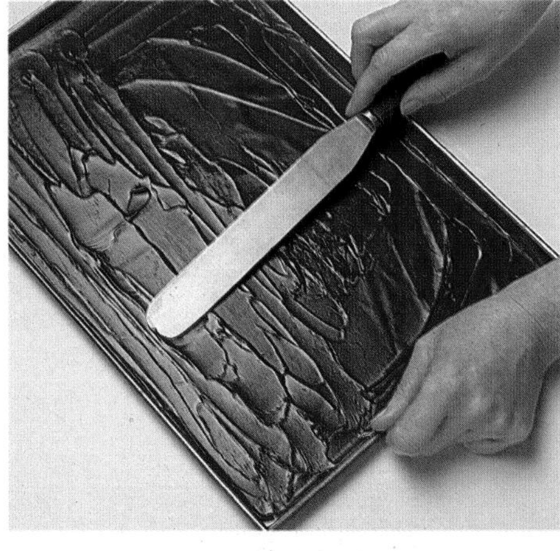

1 *LISSER LE CHOCOLAT. Graissez un moule rectangulaire et chemisez-le de papier sulfurisé. Faites fondre le chocolat dans un bol placé au-dessus d'une casserole d'eau chaude et versez-le dans le moule en une couche de 2 mm d'épaisseur. Tapez le fond du moule sur le plan de travail pour éliminer les bulles d'air puis lissez la surface du chocolat avec une spatule en métal.*

2 *DÉMOULER LA PLAQUE. Laissez durcir la plaque de chocolat dans un endroit frais pendant 30 mn. Étalez dessus une feuille de papier sulfurisé et retournez le moule. Retirez le moule et détachez le papier (ci-dessus).*

3 *COUPER EN CARRÉS ET EN RECTANGLES. Coupez avec un long couteau aiguisé la plaque de chocolat selon le modèle souhaité (ici des carrés de 4 cm de côté). Pour les carrés et les rectangles, utilisez une règle pour mesurer les intervalles et faites des encoches sur les bords de la plaque avec la pointe d'un petit couteau.*

Délicate décoration

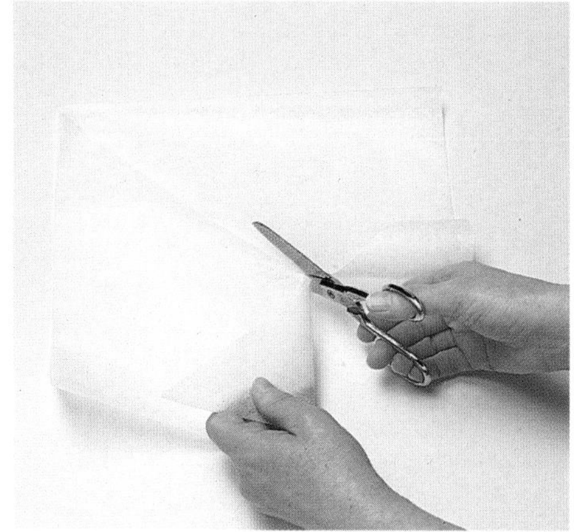

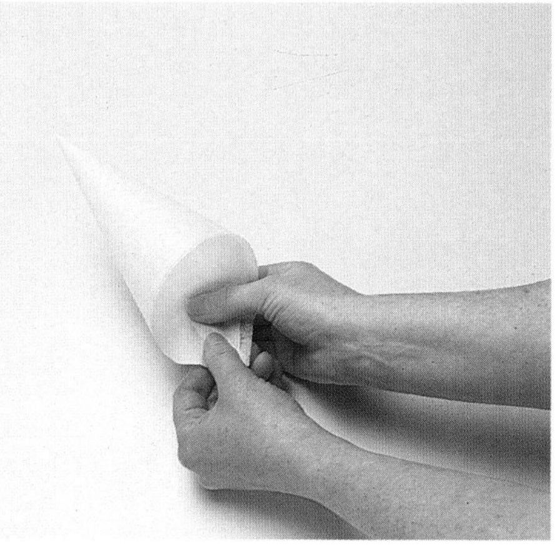

1 *COUPER UN TRIANGLE. Coupez un carré de 30 cm de côté dans une feuille de papier sulfurisé. Pliez-le en deux en diagonale puis coupez le long du pli (ci-dessus). Réservez un triangle.*

2 *PLIER LE TRIANGLE. Posez le triangle sur le plan de travail en posant son angle droit sur le coin en bas à droite. Placez les doigts de votre main gauche sur le côté le plus proche de vous et attrapez le coin à votre gauche avec la main droite ; passez-le par dessus votre main gauche pour arriver au sommet de l'angle droit (ci-dessus).*

3 *FAIRE UN CÔNE. Coincez les deux sommets sous les doigts de la main gauche. Attrapez avec la main droite le coin le plus éloigné de vous et ramenez-le par dessus votre main gauche pour former un cône à pointe fine (ci-dessus). Pliez pour ramener les trois coins ensemble. Remplissez le cône aux deux-tiers de chocolat.*

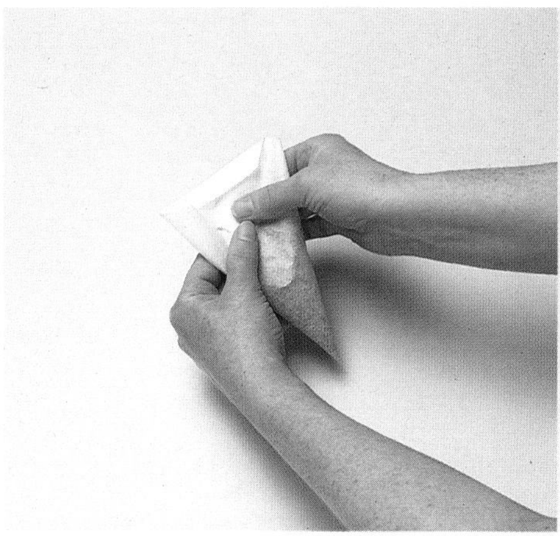

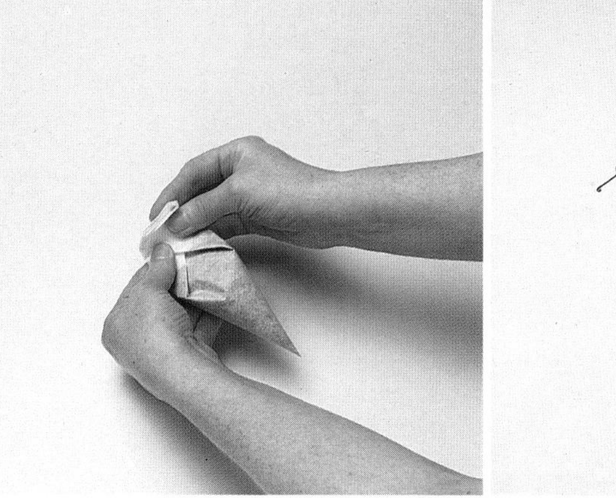

4 *FERMER LA POCHE. Pliez le sommet de la poche pour fermer l'ouverture (ci-dessus à gauche). Ramenez les coins vers le milieu puis repliez le bord supérieur (ci-dessus à droite). Coupez la pointe de la poche pour avoir l'orifice requis : plus le trou sera petit, plus fine sera la décoration.*

5 *DÉCORER AVEC LE CHOCOLAT. Tenez la poche entre le pouce et les autres doigts à un angle de 45° juste au-dessus de la surface à décorer. Pressez doucement en ramenant la poche vers vous et en la soulevant légèrement à mesure que le filet de chocolat tombe à la surface. Pour faire un zigzag, imprimez à la poche un mouvement de va-et-vient d'un côté à l'autre. Pour finir, abaissez la pointe et retirez la poche.*

1 Des fonds de pâte croustillants vont être garnis de fruits frais (recette, p. 20)

Un mariage d'amour

La pâtisserie est, au sens littéral, l'œuvre du pâtissier et c'est dans la fabrication de la pâte elle-même, la réalisation de l'enveloppe idéale pour les crèmes et les flancs, le chocolat et le caramel, les fruits frais et secs, que se manifeste son savoir-faire. Les pâtes feuilletées contiennent une telle quantité de beurre qu'elles n'ont pas leur place dans un livre traitant de « la cuisine santé » mais en revanche, la pâte brisée, la pâte à chou et la pâte de filo se prêtent à des utilisations suffisamment variées pour pallier son absence.

La pâte brisée, avec laquelle on fait des fonds de tarte croustillants, est très facile à préparer. Il suffit de mélanger légèrement et avec dextérité des ingrédients froids pour la réussir parfaitement. La margarine polyinsaturée, qui reste molle même à des températures relativement basses, doit être bien réfrigérée. Malaxez-la doucement entre les doigts en l'incorporant à la farine, en soulevant et tamisant la farine en même temps. Dès que le mélange est granuleux, cessez de le malaxer car il risque de devenir huileux. On utilise, pour lier les ingrédients secs, du blanc d'œuf plutôt que de l'eau, ce qui réduit la tendance de la pâte à se rétracter à la cuisson. La pâte ne doit pas être abaissée au rouleau plus qu'il n'est nécessaire : une pâte brisée trop travaillée devient dure.

Une préparation patiente et minutieuse est le seul impératif pour réussir la pâte à choux, à partir de laquelle on réalise les éclairs et les choux des pages 34 à 47. Ajoutez les œufs petit à petit (une cuillerée après l'autre), en battant vigoureusement entre chaque addition, pour incorporer le plus d'air possible. Vous serez récompensé de cet effort en voyant la pâte monter à la cuisson jusqu'à atteindre 4 fois son volume initial, ou même davantage si vous la faites cuire dans une atmosphère humide, comme pour la recette de choux à la pêche de la page 36.

Une fois cuits, les choux vides peuvent être conservés jusqu'à 8 h dans un endroit frais, couverts de papier d'aluminium, avant d'être garnis. Quand ils sont fourrés, ils mollissent rapidement ; c'est pourquoi il ne faut ajouter la garniture que 1 ou 2 heures avant de les servir. (Voir les indications de chaque recette.)

La pâte de filo est traditionnellement utilisée dans la pâtisserie moyen-orientale. Sa très faible teneur en graisse et son goût délicat en font l'enveloppe idéale pour des mélanges épicés de fruits frais et secs. Sa présentation en feuilles souples, très minces, que l'on peut empiler en intercalant la garniture, permet la réalisation d'une infinité de modèles, depuis le simple strudel de la page 52 jusqu'aux coffrets en pétales fourrés de fruits de la page 59.

Tarte aux pommes

CETTE VARIANTE DE LA TARTE AUX POMMES TRADITIONNELLE DOIT SON GOÛT DÉLICATEMENT ACIDULÉ AU CITRON VERT INCORPORÉ À LA GARNITURE.

Pour 8 personnes
Temps de préparation : 45 mn
Durée totale : 2 h 20

Calories **260**
Protéines **3 g**
Cholestérol **0 mg**
Total des lipides **11 g**
Acides gras saturés **2 g**
Sodium **100 mg**

150 g de farine complète

1 c. à c. de sucre roux

90 g de margarine polyinsaturée, glacée

30 g de noisettes, décortiquées, grillées, pelées (encadré, p. 29) et moulues

1 blanc d'œuf

1 c. à s. de confiture d'abricots, sans adjonction de sucre

Garniture de pommes au citron vert

1 kg de pommes à cuire, pelées, évidées et coupées en tranches

le jus et le zeste râpé d'un citron vert

90 g de sucre semoule

2 pommes couteau

2 c. à c. de sucre glace

Enduisez légèrement de margarine un moule à tarte de 35 × 11 cm et posez-le sur une plaque de cuisson.

Préparez la pâte : tamisez dans un grand bol la farine et le sucre ; ajoutez la margarine et frottez en mélangeant avec les doigts jusqu'à obtention d'un mélange granuleux ; incorporez les noisettes et le blanc d'œuf à l'aide d'un couteau à lame arrondie. Pétrissez brièvement, sur une surface légèrement farinée, la pâte ainsi obtenue et abaissez-la en un rectangle dépassant de 2,5 cm les dimensions du moule. Soulevez-la à l'aide du rouleau et posez-la dans le moule ; coupez la pâte qui dépasse et piquez toute la surface à l'aide d'une fourchette. Mettez au réfrigérateur et préparez la garniture.

Préchauffez le four à 190° (thermostat : 5). Mettez dans une grande casserole en matériau inerte les pommes à cuire avec le zeste de citron râpé, la moitié du jus et 2 cuillerées à soupe d'eau. Couvrez, portez à ébullition et laissez cuire doucement, en remuant de temps en temps, jusqu'à ce que les pommes soient tendres. Ajoutez en remuant le sucre semoule et laissez bouillir pour réduire le jus ; laissez refroidir. Pelez, évidez et émincez les pommes couteau, mélangez-les avec le reste du jus de citron.

Étalez les pommes cuites sur le fond de tarte. Disposez dessus les tranches de pommes en les faisant se chevaucher, tamisez dessus le sucre glace, enfournez et faites cuire 30 à 40 mn jusqu'à ce que le gâteau soit doré et les pommes caramélisées.

Faites chauffer à feu doux, dans une petite casserole, la confiture d'abricots avec une cuillerée à soupe d'eau, passez-la à travers un tamis et étalez-la sur les pommes, à l'aide d'un pinceau.

Laissez refroidir complètement la tarte avant de la démouler délicatement. Découpez et servez.

Tartelettes renversées aux pommes et aux poires

DU FAIT QUE CES TARTELETTES CUISENT À L'ENVERS, ELLES RESTENT CROUSTILLANTES TANDIS QUE LES FRUITS POSÉS SUR LE FOND DU MOULE CARAMÉLISENT.

Pour 6 tartelettes
Temps de préparation : 35 mn
Durée totale : 1 h 10

Par tartelette :
Calories **210**
Protéines **3 g**
Cholestérol **0 mg**
Total des lipides **8 g**
Acides gras saturés **2 g**
Sodium **100 mg**

275 g de pâte brisée (recette, p. 10), préparée avec 3/4 de c. à c. de cannelle, moulue, ajoutée aux ingrédients secs

2 c. à s. de miel clair

3 petites pommes couteau

3 petites poires

2 c. à s. de jus de citron, fraîchement pressé

Enveloppez la pâte dans une feuille de plastique et mettez-la au réfrigérateur pendant que vous préparez la garniture.

Préchauffez le four à 200° (thermostat : 6) et beurrez légèrement 6 moules à tartelettes, à bords cannelés. Faites bouillir le miel pendant 1 mn dans une petite casserole et versez-en un peu dans chacun des moules beurrés de manière à en enduire uniformément le fond. Pelez, évidez et émincez les fruits et retournez-les dans le jus de citron pour qu'ils ne noircissent pas. Disposez dans chaque moule, en alternant, des couches de pommes et de poires en faisant se chevaucher les tranches.

Coupez la pâte en six parties égales ; abaissez chacune, sur une surface légèrement farinée, pour en faire un disque un peu plus grand que la surface du moule. Taillez bien le pourtour, posez le disque de pâte sur les fruits, enfoncez bien les bords jusqu'au fond du moule, en pressant avec le bout des doigts contre les bords cannelés.

Enfournez et faites cuire 25 à 30 mn. Laissez reposer les tartes quelques minutes avant de les démouler en les retournant sur un plat de service. Servez-les tièdes ou froides.

NOTE : *vous pouvez, si vous le souhaitez, arroser d'un filet de miel les tartelettes, avant de servir.*

Tartelettes à la confiture

Pour 18 tartelettes
Temps de préparation : 25 mn
Durée totale : 1 h 10

Par tartelette :
Calories **95**
Protéines **1 g**
Cholestérol **0 mg**
Total des lipides **4 g**
Acides gras saturés **1 g**
Sodium **45 mg**

275 g de pâte brisée (recette, p. 10)
125 g de confiture rouge (fraises, framboises ou cassis), sans adjonction de sucre
125 g de confiture d'abricots, sans adjonction de sucre
1 poire confite, émincée
1 figue confite, finement émincée

Abaissez au rouleau, sur une surface légèrement farinée, la pâte sur 3 mm d'épaisseur. Découpez dedans, à l'aide d'un emporte-pièce cannelé, 18 rondelles de 7,5 cm de diamètre. Posez chaque rondelle dans un moule à tarte de 6 cm de diamètre, piquez avec une fourchette et mettez au réfrigérateur 30 mn. Préchauffez le four à 220° (thermostat : 7).

Étendez les chutes de pâte et découpez dedans des pétales ou des losanges. Posez-les sur une plaque de cuisson et faites-les cuire en même temps que les tartelettes. Retirez les fonds de tarte au bout de 7 mn ; laissez dorer pétales ou losanges pendant 2 ou 3 mn de plus.

Mettez deux cuillerées à café de confiture rouge dans neuf des fonds de tarte et décorez-les avec les tranches de poire. Remplissez de confiture d'abricots le reste des fonds de tarte et décorez-les avec les tranches de figue. Remettez les tartelettes au four et faites-les cuire pendant 5 à 7 mn.

Démoulez les tartelettes et laissez-les refroidir. Décorez-les avec les pétales ou les losanges.

Tartelettes aux fraises

Pour 18 tartelettes
Temps de préparation : 25 mn
Durée totale : 1 h 10

Par tartelette :
Calories **95**
Protéines **1 g**
Cholestérol **0 mg**
Total des lipides **4 g**
Acides gras saturés **1 g**
Sodium **45 mg**

275 g de pâte brisée (recette, p. 10)
300 g de fraises équeutées, coupées en 2
6 c. à s. de gelée de groseilles
1 1/2 c. à s. de pastis

Abaissez la pâte, sur une surface légèrement farinée, sur 3 mm d'épaisseur. Découpez dedans, à l'aide d'un emporte-pièce ordinaire de 7,5 cm, 18 rondelles et foncez-en des moules de 6 cm de diamètre ; piquez-les avec une fourchette et mettez-les au réfrigérateur pendant 30 mn. Préchauffez, pendant ce temps, le four à 220° (thermostat : 7).

Enfournez et faites cuire 15 à 20 mn. Retirez-les et laissez-les refroidir un peu avant de les démouler sur une grille posée sur un plateau.

Répartissez les fraises dans les 18 fonds de tarte et préparez le glaçage : faites chauffer, à feu doux, en remuant, la gelée de groseilles avec 1 1/2 cuillerée à soupe d'eau ; incorporez le pastis. En vous servant d'un pinceau, étalez une épaisse couche de glaçage sur chacune des tartelettes. Réchauffez le glaçage, s'il commence à se figer.

Tartelettes aux fruits frais et à la crème

Pour 12 tartelettes
Temps de préparation : 45 mn
Durée totale : 1 h 15

Par tartelette :
Calories **140**
Protéines **3 g**
Cholestérol **traces**
Total des lipides **7 g**
Acides gras saturés **2 g**
Sodium **75 mg**

275 g de pâte brisée (recette, p. 10)
1/2 mangue
1/2 kiwi
12 petites fraises
2 kumquats
12 grains de raisin blanc
1/2 grenade
1 fruit de la passion

Crème au fruit de la passion

1 fruit de la passion
125 g de fromage blanc
1 c. à c. de sucre semoule

Abaissez, au rouleau, sur une surface légèrement farinée, la pâte, sur 3 mm d'épaisseur. Découpez-y 12 rondelles à l'aide d'un emporte-pièce de 10 cm de diamètre et foncez-en des moules peu profonds de 7,5 cm de diamètre ; piquez-les avec une fourchette puis mettez-les au réfrigérateur pendant 30 mn. Préchauffez le four à 220° (thermostat : 7).

Enfournez les fonds de tarte et faites-les dorer légèrement, 15 à 20 mn. Laissez-les refroidir un peu avant de les démouler sur une grille.

Préparez, pendant ce temps, les fruits. Pelez et émincez la mangue et le kiwi, équeutez les fraises et coupez-les en deux, émincez et épépinez les kumquats ; coupez les raisins en deux et retirez les pépins ; égrenez la grenade ; coupez en deux le fruit de la passion et retirez la pulpe et les pépins.

Préparez la crème au fruit de la passion : coupez le fruit en deux, retirez la pulpe et les pépins et mélangez-les au fromage blanc. Ajoutez le sucre. Répartissez la crème dans les fonds de tarte.

Décorez avec les fruits frais et comblez les vides avec la pulpe et les pépins du fruit de la passion.

NOTE : *si ces tartelettes ne doivent pas être consommées immédiatement, recouvrez-les d'un glaçage à l'abricot. Faites chauffer 2 cuillerées à soupe de confiture d'abricots, 2 cuillerées à soupe d'eau et passez la confiture liquide à travers un tamis à mailles fines.*

Tartelettes au muscat

Pour 12 tartelettes
Temps de préparation : 35 mn
Durée totale : 2 h (temps de réfrigération inclus)

Par tartelette :
Calories **140**
Protéines **3 g**
Cholestérol **traces**
Total des lipides **6 g**
Acides gras saturés **2 g**
Sodium **70 mg**

275 g de pâte brisée (recette, p. 10)
24 grains de raisin muscat ou de raisin blanc
4 c. à s. de yaourt grec, épais

Sirop de vin

15 cl de vin blanc, doux
1 c. à s. de sucre
le zeste d'une demi-orange, coupé en morceaux
1 1/2 c. à c. de gélatine en poudre

Abaissez sur une surface légèrement farinée la pâte, sur 3 mm d'épaisseur. En vous servant d'un couteau bien aiguisé, découpez-la en 12 rectangles de 11 × 9 cm et foncez-en le fond et les parois de moules ovales de 7,5 × 5 × 2 cm.

Piquez-les avec une fourchette et mettez-les au réfrigérateur pendant 30 mn. Préchauffez, pendant ce temps, le four à 220° (thermostat : 7).

Enfournez et faites cuire les fonds de tarte 15 à 20 mn, jusqu'à ce qu'ils soient légèrement dorés. Retirez-les du four et laissez-les refroidir un peu avant de les démouler sur une grille.

Préparez le sirop : mettez le vin, le sucre et le zeste d'orange dans une petite casserole en matériau inerte ; faites chauffer doucement, en remuant avec une cuillère en bois. Portez presque à ébullition, retirez du feu, couvrez et laissez reposer pour que le sirop s'imprègne de l'arôme.

Retirez le zeste à l'aide d'une écumoire. Répandez, dans un bol, la gélatine sur 2 cuillerées à soupe d'eau et laissez-la ramollir pendant 2 mn. Posez le bol au-dessus d'une casserole d'eau à peine frémissante et remuez jusqu'à ce que la gélatine soit entièrement dissoute. Ajoutez, en battant, la gélatine tiède dans le mélange au vin et mettez le sirop au réfrigérateur pendant 30 mn, jusqu'à ce qu'il commence à épaissir.

Coupez les raisins en deux et retirez les pépins. Mettez une cuillerée à café de yaourt dans chaque moule à tarte, disposez 4 demi-raisins à la surface et versez dessus un peu de sirop de vin, en secouant doucement les tartelettes pour qu'il remplisse les vides entre les grains de raisin. Étalez le reste du sirop au pinceau sur les raisins. Mettez au réfrigérateur pendant 20 à 30 mn. Servez aussitôt.

Fleurs de figues

Pour 16 fleurs
Temps de préparation : 40 mn
Durée totale : 1 h 20

Par fleur :
Calories **105**
Protéines **2 g**
Cholestérol **0 mg**
Total des lipides **7 g**
Acides gras saturés **1 g**
Sodium **80 mg**

150 g de farine ordinaire
30 g de farine de maïs
1 c. à c. de sucre semoule
90 g de margarine polyinsaturée, glacée
1 blanc d'œuf

Garniture aux figues et à la crème

5 figues, mûres, coupées en 4 dans le sens de la hauteur
125 g de fromage blanc à 20 %
1 c. à s. de yaourt maigre nature
1 c. à c. d'eau de rose
1 c. à c. de sucre

Préparez la pâte : tamisez les farines et le sucre dans un bol, ajoutez la margarine et frottez du bout des doigts jusqu'à obtention d'un mélange granuleux. Ajoutez le blanc d'œuf en mélangeant à l'aide d'un couteau à lame arrondie ; faites une boule avec la pâte et pétrissez-la brièvement, sur une surface légèrement farinée, jusqu'à ce qu'elle soit lisse.

Abaissez la pâte, au rouleau, sur 3 mm d'épaisseur et découpez-y, à l'aide d'un emporte-pièce de 7,5 cm, seize fleurs. Posez-les dans des moules à tarte de 7,5 cm en les appliquant contre le fond et les parois sans déformer les pétales. Piquez avec une fourchette et mettez au réfrigérateur pendant 30 mn. Préchauffez, pendant ce temps, le four à 190° (thermostat : 5).

Enfournez et faites cuire les fonds de tarte 7 à 10 mn jusqu'à ce qu'ils soient légèrement dorés, retournez-les sur une grille et laissez refroidir.

Pour garnir les fonds de tarte, coupez les quartiers de figues en tranches minces et disposez-les dans les fleurs en pâte, de manière à évoquer des pétales. Battez en crème le fromage blanc, le yaourt, l'eau de rose et le sucre. Versez cette garniture dans une poche munie d'une douille étoilée de 5 mm et dressez-en un monticule au centre de chaque fleur.

Tartelettes à l'orange

Pour 24 tartelettes
Temps de préparation : 1 h
Durée totale : 2 h

Par tartelette :
Calories **90**
Protéines **2 g**
Cholestérol **20 mg**
Total des lipides **5 g**
Acides gras saturés **1 g**
Sodium **45 mg**

275 g de pâte brisée (recette, p. 10)

4 oranges, pelées à vif, coupées en quartiers (encadré, p. 41), les quartiers coupés en 2 longitudinalement, 1 c. à s. de jus réservé

1 c. à s. de marmelade d'oranges, morceaux ôtés

30 g de pistaches, décortiquées, pelées et effilées

30 cl de crème pâtissière, aromatisée à l'orange (recette, p. 11)

Abaissez, au rouleau, sur une surface légèrement farinée, la pâte sur 3 mm d'épaisseur. En vous servant d'un emporte-pièce cannelé de 7 cm, découpez des rondelles dans la pâte et utilisez-les pour foncer 24 moules de 6 cm. Piquez la pâte à l'aide d'une fourchette et mettez au réfrigérateur pendant 30 mn. Préchauffez le four à 220° (thermostat : 7).

Enfournez les fonds de tarte glacés et faites-les cuire 15 à 20 mn jusqu'à ce qu'ils soient légèrement dorés. Laissez refroidir un peu avant de les démouler sur une grille pour les laisser refroidir complètement.

En vous servant d'une cuillère ou d'une poche à douille, répartissez la crème dans les fonds de tarte et disposez dessus les tranches d'orange. Mettez le jus d'orange réservé dans une petite casserole en matériau inerte avec la marmelade d'oranges. Faites chauffer doucement, jusqu'à ce qu'il commence à bouillir. Faites cuire 1 mn puis, en vous servant d'un pinceau, étalez uniformément ce glaçage sur les quartiers d'orange. Parsemez de pistaches.

Ces tartelettes peuvent être servies dans des caissettes en papier. Elles doivent être consommées dans la journée suivant leur préparation.

NOTE : *pour peler les pistaches, faites-les blanchir 1 mn dans l'eau bouillante, égouttez-les, puis frottez-les vigoureusement dans une serviette.*

Tartelettes aux cerises et à la crème

Pour 12 tartelettes
Temps de préparation : 20 mn
Durée totale : 1 h 10

Par tartelette :
Calories **95**
Protéines **2 g**
Cholestérol **15 mg**
Total des lipides **5 g**
Acides gras saturés **2 g**
Sodium **50 mg**

275 g de pâte brisée (recette, p. 10)

1 œuf

1 c. à s. de sucre semoule

1/8 de c. à c. de cannelle, moulue

5 c. à s. de crème

2 c. à s. de lait écrémé

24 cerises (175 g env.), dénoyautées

Abaissez la pâte sur 5 mm d'épaisseur. Découpez-y 12 rondelles à l'aide d'un emporte-pièce de 10 cm et foncez-en des moules profonds, de 6 cm de diamètre. Piquez la pâte avec une fourchette ; préchauffez le four à 220° (thermostat : 7).

Enfournez les fonds de tartelette pendant 5 mn. Préparez la crème en fouettant l'œuf avec le sucre, la cannelle, la crème et le lait.

Retirez la plaque de cuisson du four. Mettez deux cerises dans chaque fond de tarte et versez dessus la crème. Enfournez de nouveau 20 mn.

Barquettes au citron

Pour 20 barquettes
Temps de préparation : 1 h 10
Durée totale : 2 h 45 (temps de réfrigération inclus)

Par barquette :
Calories **110**
Protéines **2 g**
Cholestérol **15 mg**
Total des lipides **4 g**
Acides gras saturés **1 g**
Sodium **45 mg**

275 g de pâte brisée (recette, p. 10)

Garniture au citron

le zeste, effilé, et le jus, filtré, de 2 citrons
45 g de farine de maïs
30 g de sucre semoule
1 jaune d'œuf

Meringue

60 g de sucre semoule
60 g de sucre glace
2 blancs d'œufs

Pour commencer, mettez le zeste de citron dans une casserole contenant 30 cl d'eau. Portez à ébullition puis retirez du feu, couvrez et laissez infuser la préparation au moins 30 mn.

Abaissez, sur une surface légèrement farinée, la pâte sur 3 mm d'épaisseur. Découpez-la en 20 rectangles de 12 × 7 cm. Foncez-en des barquettes cannelées de 10 × 4,5 cm ; piquez légèrement avec une fourchette et mettez au réfrigérateur pendant 30 mn. Préchauffez le four à 220° (thermostat : 7).

Enfournez et faites cuire les barquettes 20 à 25 mn, pour les dorer légèrement. Laissez refroidir un peu avant de les démouler en les retournant sur une plaque de cuisson et mettez-les de côté pendant que vous préparez la garniture.

Retirez, à l'aide d'une écumoire, le zeste de citron de la casserole. Mélangez, dans un bol, un peu de cette eau citronnée avec la farine de maïs et versez cette crème, en remuant, dans la casserole. Portez à ébullition, en remuant constamment, jusqu'à ce que le mélange ait épaissi. Faites cuire encore, à feu doux, pendant 2 ou 3 mn, puis retirez la casserole du feu, et ajoutez, en battant le sucre semoule et le jaune d'œuf. Répartissez la garniture au citron dans les 20 barquettes, en arrêtant de les remplir juste avant d'atteindre les bords.

Préparez la meringue : tamisez le sucre semoule avec le sucre glace dans un bol. Battez, dans un autre bol, les blancs d'œufs en neige ferme mais pas sèche. Ajoutez, petit à petit, le sucre dans les blancs d'œufs (1 cuillerée rase après l'autre), en fouettant vivement à chaque adjonction pour obtenir une meringue consistante et luisante.

Transférez, à l'aide d'une cuillère, cette meringue dans une poche munie d'une douille étoilée de 8 mm et dressez une garniture décorative à la surface de chaque barquette. À défaut de poche à douille, vous pouvez vous servir d'une cuillère pour recouvrir de meringue la surface de chaque barquette en la lissant avec le dos de la cuillère. Enfournez et faites cuire 4 ou 5 mn jusqu'à ce que la meringue commence à dorer. Laissez refroidir et mettez au réfrigérateur, pendant 30 mn, avant de servir.

Tartelettes au citron

Pour 18 tartelettes
Temps de préparation : 35 mn
Durée totale : 1 h 15

Par tartelette :
Calories **125**
Protéines **3 g**
Cholestérol **15 mg**
Total des lipides **10 g**
Acides gras saturés **2 g**
Sodium **110 mg**

275 g de pâte brisée (recette, p. 10)
175 g de fromage blanc
le zeste d'un citron, râpé
1 1/2 c. à s. de jus de citron, fraîchement pressé
1 1/2 c. à s. de miel liquide
1 œuf, légèrement battu
1 blanc d'œuf
15 g de chapelure fraîche
15 g d'amandes, effilées

Glaçage

1/2 blanc d'œuf, légèrement battu
60 g de sucre glace, tamisé

Abaissez, sur une surface légèrement farinée, la pâte sur 3 mm d'épaisseur. Découpez-y 18 rondelles à l'aide d'un emporte-pièce simple de 7,5 cm de diamètre ; foncez-en des moules à tartelettes de 6 cm de diamètre. Piquez la pâte avec une fourchette et mettez au réfrigérateur pendant 15 mn.

Préchauffez le four à 200° (thermostat : 6) et préparez, pendant ce temps, la garniture. Battez le fromage blanc avec le zeste et le jus de citron ainsi que le miel, puis ajoutez, en battant toujours, l'œuf entier, le blanc d'œuf et la chapelure. Répartissez ce mélange dans les fonds de tarte glacés, et parsemez d'amandes effilées.

Préparez le glaçage : mélangez le blanc d'œuf et le sucre glace pour avoir une crème lisse, étalez-la avec une cuillère sur chaque tartelette. Enfournez les tartelettes et faites-les cuire pendant 20 mn, jusqu'à ce qu'elles soient gonflées et dorées. Démoulez sur une grille et laissez refroidir 10 à 15 mn. Servez.

Tarte aux groseilles

Pour 24 parts
Temps de préparation : 40 mn
Durée totale : 4 h 30

Par part :
Calories **90**
Protéines **1 g**
Cholestérol **0 mg**
Total des lipides **3 g**
Acides gras saturés **1 g**
Sodium **40 mg**

275 g de pâte brisée (recette, p. 10)
750 g de groseilles, triées
175 g de sucre semoule
1 c. à s. de maïzéna
2 blancs d'œufs

Abaissez, sur une surface légèrement farinée, la pâte en un rectangle assez grand pour foncer un moule de 30 × 20 cm. Soulevez la pâte sur le rouleau à pâtisserie pour la laisser glisser dans le moule.

Piquez-la avec une fourchette et mettez-la au réfrigérateur pendant 30 mn. Préchauffez, pendant ce temps, le four à 220° (thermostat : 7).

Enfournez et faites cuire 20 à 25 mn, jusqu'à ce que la pâte soit légèrement dorée ; retirez-la et baissez la température du four à 70° (thermostat : 1/4).

Mettez les groseilles, avec 90 g de sucre, dans une casserole en matériau inerte et faites cuire à feu doux pendant 4 ou 5 mn pour que les baies soient tendres et le mélange liquide. Délayez la maïzéna dans 1 cuillerée à soupe d'eau, en remuant pour avoir une pâte lisse ; mettez-la dans la casserole contenant les groseilles, portez à ébullition et faites cuire, en remuant, pendant 2 mn, jusqu'à ce que le mélange soit épais et limpide. Étalez-le sur le fond de tarte. Battez les blancs d'œufs en neige ferme puis ajoutez le sucre petit à petit, en battant toujours, jusqu'à avoir un mélange consistant et luisant. Transférez la meringue dans une poche munie d'une douille étoilée de 8 mm et dressez des croisillons sur la couche de groseilles. Enfournez et faites cuire pendant 2 h. Éteignez le four et laissez-y la tarte à refroidir. Découpez la tarte en 24 carrés de 5cm de côté et servez sans attendre.

Tartelettes aux airelles

Pour 18 tartelettes
Temps de préparation : 1 h
Durée totale : 2 h

Par tartelette :
Calories **115**
Protéines **2 g**
Cholestérol **0 mg**
Total des lipides **4 g**
Acides gras saturés **1 g**
Sodium **50 mg**

275 g de pâte brisée (recette, p. 10)

Garniture de fruits

175 g d'airelles fraîches ou surgelées (et dégelées)
3 c. à s. de jus d'orange, fraîchement pressé
2 c. à s. de miel
30 g de sucre semoule
1/2 c. à c. d'arrow-root

Meringue

2 blancs d'œufs
125 g de sucre semoule

Sur une surface légèrement farinée, abaissez la pâte sur 3 mm d'épaisseur. Découpez à l'aide d'un emporte-pièce cannelé de 7,5 cm, 18 rondelles et foncez-en des moules de 6 cm de diamètre. Piquez-les à la fourchette et mettez-les au réfrigérateur 30 mn. Préchauffez le four à 220° (thermostat : 7).

Disposez les moules sur une plaque de cuisson, enfournez et faites cuire 15 à 20 mn, jusqu'à ce que les fonds de tarte soient légèrement dorés et croustillants. Laissez-les refroidir un peu dans les moules puis démoulez-les sur une plaque de cuisson. Réduisez la température du four à 150° (thermostat : 2).

Préparez la garniture de fruits, pendant que les fonds de tarte cuisent au four : mettez les airelles avec le jus d'orange dans une petite casserole en matériau inerte, couvrez et faites cuire à petit feu pendant 8 mn, jusqu'à ce que toutes les baies aient éclaté. Ajoutez, en remuant, le miel et le sucre puis l'arrow-root délayé dans 2 cuillerées à café d'eau froide. Portez de nouveau à ébullition en remuant jusqu'à ce que le mélange ait épaissi, puis retirez la casserole du feu et laissez refroidir. Répartissez ce mélange dans les fonds de tarte.

Battez les blancs d'œufs en neige ferme puis ajoutez le sucre, petit à petit, en battant, jusqu'à ce que la meringue soit bien consistante et luisante. Transférez-la dans une poche munie d'une douille étoilée de 1 cm et dressez-en une coquille recouvrant complètement la garniture de chaque tarte. Remettez les tartes au four et faites-les cuire 10 mn jusqu'à ce que la meringue soit légèrement dorée.

Barquettes aux cerises

RECETTE IDÉALE POUR UTILISER DES CHUTES DE GÉNOISE.

Pour 30 barquettes
Temps de préparation : 1 h
Durée totale : 1 h 40

Par barquette :
Calories **95**
Protéines **1 g**
Cholestérol **10 mg**
Total des lipides **5 g**
Acides gras saturés **1 g**
Sodium **50 mg**

275 g de pâte brisée (recette, p. 10)
4 c. à s. de confiture rouge (framboises, fraises ou cerises noires), sans adjonction de sucre
3 c. à s. de confiture d'abricots, sans adjonction de sucre
4 cerises confites, finement hachées
15 g de pignons, légèrement grillés

Garniture aux amandes

60 g de margarine polyinsaturée
30 g de sucre semoule
½ c. à c. d'essence d'amandes
1 œuf, battu
60 g de chutes de génoise
30 g d'amandes, moulues

Abaissez, sur une surface légèrement farinée, la pâte, sur 3 mm d'épaisseur. Coupez 30 rectangles de 10 × 5 cm et foncez-en des barquettes de 8,5 × 4 cm. Mettez-les au réfrigérateur 30 mn.

Préchauffez, pendant ce temps, le four à 220° (thermostat : 7) et préparez la garniture. Mettez, dans un petit bol, la margarine et le sucre et battez vivement pour obtenir un mélange crémeux. Ajoutez, en battant toujours, l'essence d'amandes, puis l'œuf. Ajoutez les chutes de génoise émiettées, les amandes moulues et incorporez-les délicatement.

Mettez un peu de confiture rouge (un peu moins d'une cuillerée à café) dans le fond de chaque barquette en l'étalant uniformément ; mettez dessus un peu de garniture de manière à remplir chaque barquette aux trois-quarts, puis égalisez la surface. Enfournez et faites cuire 15 à 20 mn jusqu'à ce que la garniture soit bien gonflée, dorée et ferme. Laissez refroidir légèrement avant de démouler sur une grille et de laisser refroidir complètement.

Faites chauffer la confiture d'abricots dans une petite casserole jusqu'au point d'ébullition, passez-la à travers un tamis pour éliminer toutes les parties solides et étalez-la au pinceau sur chaque barquette. Disposez les cerises et les pignons sur le glaçage.

NOTE : *ces barquettes peuvent être conservées dans un récipient étanche pendant 2 ou 3 jours. Faites griller les pignons au four à 180° (thermostat : 4), jusqu'à ce qu'ils soient uniformément dorés.*

Tartelettes aux noisettes

Pour 10 tartelettes
Temps de préparation : 25 mn
Durée totale : 1 h 5

Par tartelette :
Calories **102**
Protéines **2 g**
Cholestérol **10 mg**
Total des lipides **11 g**
Acides gras saturés **2 g**
Sodium **70 mg**

150 g de pâte brisée (recette, p. 10)
60 g de sucre semoule
2 c. à s. de miel liquide
30 g de beurre
125 g de noisettes, décortiquées, grillées et pelées (encadré, ci-dessous)

Abaissez au rouleau, sur une surface légèrement farinée, la pâte sur 3 mm d'épaisseur. En vous servant d'un emporte-pièce ordinaire, découpez-y 10 rondelles de 7,5 cm de diamètre et foncez-en des moules de 6 cm de diamètre. Piquez avec une fourchette, posez les moules sur une plaque de cuisson et mettez-la au réfrigérateur pendant 30 mn. Préchauffez le four à 220° (thermostat : 7).

Enfournez et faites cuire les fonds de tartelette 15 à 20 mn. Retirez-les du four et laissez refroidir un peu avant de les démouler sur une grille.

Préparez la garniture : mettez 1 cuillerée à soupe d'eau, le sucre et le miel dans une petite casserole à fond épais, sur feu doux. Remuez jusqu'à ce que le sucre soit complètement dissous. Trempez un thermomètre à sucre dans une carafe d'eau chaude pour le tiédir et immergez-le dans le sirop. Passez à feu vif et portez le sirop à ébullition. Laissez bouillir rapidement jusqu'à ce que le thermomètre indique 106 à 113° : le sirop formera alors un mince et court filament, lorsque vous le laisserez couler d'une cuillère. Retirez alors la casserole du feu, incorporez le beurre et les noisettes.

Répartissez le mélange dans les fonds de tarte et laissez refroidir avant de servir.

Peler des noisettes

1 *FAIRE GRILLER ET PELER LES NOISETTES. Étalez les noisettes sur une plaque de cuisson et faites-les griller 10 mn à 170° (thermostat : 3) puis étalez une serviette sur un plan de travail, répandez dessus les noisettes grillées, repliez la serviette par-dessus et frottez vigoureusement avec les mains.*

2 *ÉLIMINER LES PEAUX REBELLES. Frottez entre les doigts toutes les noisettes qui auraient gardé partiellement ou totalement leur peau pour les en débarrasser. Si elles ne sont pas utilisées immédiatement, les noisettes doivent être conservées dans un récipient étanche.*

Tartelettes des Îles

Pour 18 tartelettes
Temps de préparation : 35 mn
Durée totale : 6 h (temps de macération inclus)

Par tartelette :
Calories **125**
Protéines **2 g**
Cholestérol **25 mg**
Total des lipides **5 g**
Acides gras saturés **1 g**
Sodium **45 mg**

275 g de pâte brisée (recette, p. 10)
le zeste d'une orange, détaillé en fine julienne

Garniture au rhum et aux raisins

90 g de raisins secs sans pépins
2 c. à s. de rhum blanc
2 œufs, jaunes et blancs séparés
90 g de sucre roux
2 c. à c. de farine ordinaire
1/4 de c. à c. de cannelle, moulue
15 cl de yaourt maigre nature

Mettez les raisins secs et le rhum dans une petite casserole, couvrez et chauffez à feu doux pendant 2 ou 3 mn. Retirez du feu et laissez les raisins macérer pendant 4 heures, ou toute une nuit.

Abaissez, sur une surface légèrement farinée, la pâte sur 3 mm d'épaisseur et, en vous servant d'un emporte-pièce de 7,5 cm, découpez-y 18 rondelles dont vous foncerez des moules de 6 cm de diamètre. Piquez à la fourchette et mettez au réfrigérateur pendant 30 mn. Préchauffez, pendant ce temps, le four à 200° (thermostat : 6).

Disposez les moules sur une plaque de cuisson, enfournez et faites cuire les fonds de tarte 15 mn, jusqu'à ce qu'ils soient légèrement dorés. Retirez-les du four et laissez-les refroidir pendant que vous finissez de préparer la garniture. Réduisez la température du four à 180° (thermostat : 4).

Battez, dans un grand bol, les jaunes d'œufs avec 60 g de sucre jusqu'à avoir un mélange épais.

Battez les blancs d'œufs en neige légère, dans un autre bol, poudrez du reste du sucre et continuez de battre en neige très ferme. Tamisez la farine et la cannelle sur les jaunes d'œufs battus, ajoutez le tiers des blancs et le tiers du yaourt. Mélangez bien. Ajoutez le deuxième tiers des blancs d'œufs et du yaourt, puis le restant des blancs et du yaourt. Incorporez à ce mélange les raisins secs et disposez cette garniture dans les fonds de tarte, en répartissant bien les raisins.

Enfournez et faites cuire les tartelettes 20 à 25 mn, jusqu'à ce qu'elles soient légèrement dorées. Transférez-les sur une grille, laissez-les refroidir puis décorez-les avec la julienne de zeste d'orange.

Tarte au chocolat

Pour 8 parts
Temps de préparation : 1 h
Durée totale : 3 h 30 (temps de réfrigération inclus)

Par part :
Calories **240**
Protéines **9 g**
Cholestérol **10 mg**
Total des lipides **12 g**
Acides gras saturés **5 g**
Sodium **240 mg**

125 g de farine ordinaire
1 c. à c. de sucre semoule
60 g de margarine polyinsaturée, glacée
15 g de poudre de cacao
3 blancs d'œufs
250 g de yaourt grec, crémeux
125 g de fromage blanc maigre
2 c. à s. de miel
2 c. à c. de gélatine en poudre
100 g de chocolat à croquer
15 cl de crème fleurette

Préparez la pâte : tamisez la farine et le sucre dans un grand bol puis ajoutez la margarine, en frottant avec le bout des doigts, jusqu'à obtention d'un mélange granuleux. Incorporez le cacao, 1 blanc d'œuf et mélangez à l'aide d'un couteau à lame arrondie pour en faire une pâte. Roulez-la en boule et pétrissez-la, brièvement.

Abaissez, au rouleau, la pâte sur 3 mm d'épaisseur et foncez-en un moule carré, à fond amovible, de 15 cm de côté et 4 cm de profondeur, au moins. Appliquez bien la pâte dans les coins, piquez toute la surface avec une fourchette et mettez au réfrigérateur pendant 30 mn. Préchauffez, pendant ce temps, le four à 220° (thermostat : 7).

Enfournez et faites cuire la pâte 15 à 20 mn, retirez-la du four et laissez-la refroidir dans le moule.

Préparez la garniture. Mettez dans un grand bol le yaourt, le fromage et 1 cuillerée à soupe de miel. Fouettez pour bien mélanger. Mettez 2 cuillerées à soupe d'eau dans un petit bol, saupoudrez avec la gélatine et laissez-la ramollir pendant 2 mn. Posez le bol au-dessus d'une casserole d'eau à peine frémissante et remuez jusqu'à ce que la gélatine soit complètement dissoute. Versez-la petit à petit, en battant bien, dans le mélange au yaourt.

Cassez le chocolat en morceaux, réservez-en le quart et mettez le reste dans un bol posé au-dessus d'une casserole d'eau chaude, mais non bouillante, jusqu'à ce qu'il soit fondu. Répartissez le mélange au yaourt dans deux bols : ajoutez, en battant, le chocolat fondu dans l'un et le reste du miel dans l'autre.

Fouettez, dans un troisième bol, la crème jusqu'à ce qu'elle soit bien ferme. Incorporez la moitié de la crème dans le mélange au chocolat et l'autre moitié dans le mélange au miel. Fouettez le reste des blancs d'œufs en neige légère et ajoutez-la dans chacun des deux bols.

Chemisez les parois du moule de papier sulfurisé. Étalez le mélange au chocolat sur le fond de pâte, égalisez la surface et répandez dessus le mélange au miel. Mettez au réfrigérateur pendant 2 heures, jusqu'à ce que l'ensemble soit ferme.

Faites fondre le chocolat réservé. Mettez-le dans une poche en papier sulfurisé *(encadré, p. 12)* et dressez des motifs décoratifs.

Barquettes amandines aux mûres

Pour 16 barquettes
Temps de préparation : 40 mn
Durée totale : 1 h 35

Par barquette :
Calories **150**
Protéines **2 g**
Cholestérol **traces**
Total des lipides **7 g**
Acides gras saturés **1 g**
Sodium **55 mg**

275 g de pâte brisée (recette, p. 10)
2 c. à c. de sucre glace

Garniture de mûres

250 g de mûres fraîches, passées en les écrasant à travers un tamis en nylon
1 c. à s. d'arrow-root
30 g de sucre semoule

Garniture aux amandes

2 blancs d'œufs
90 g de sucre vanillé
90 g d'amandes moulues

Mettez la purée de mûres dans une casserole en matériau inerte ; délayez l'arrow-root dans une cuillerée à soupe d'eau froide et incorporez-le à la purée. Portez à ébullition, en remuant constamment, et laissez bouillir jusqu'à ce que le mélange soit épais. Faites cuire encore pendant 3 ou 4 mn à feu doux. Ajoutez, en remuant, le sucre semoule et laissez refroidir la purée pendant 20 mn.

Préchauffez, pendant ce temps, le four à 220° (thermostat : 7) et abaissez, sur une surface légèrement farinée, la pâte à 3 mm d'épaisseur. Coupez-la en 16 rectangles de 12 × 7 cm et foncez-en des moules à barquettes cannelés, en pressant bien la pâte dans les cannelures. Coupez les bords qui dépassent et disposez les moules sur une plaque de cuisson. Répartissez la purée refroidie dans les fonds de tarte, en l'étalant uniformément. Pour préparer la garniture aux amandes, battez les blancs d'œufs en mousse légère puis ajoutez, en battant, le sucre vanillé ; incorporez les amandes moulues. Versez ce mélange dans une poche à douille simple de 5 mm et répartissez-le dans les barquettes en recouvrant totalement la purée de mûres.

Enfournez et faites cuire les tartelettes 20 à 25 mn, jusqu'à ce que la garniture soit gonflée et dorée : elle sera probablement légèrement craquelée au centre. Laissez les barquettes refroidir 5 mn, puis démoulez-les délicatement. Quand elles sont bien refroidies, tamisez le sucre glace sur le dessus.

NOTE : *servir ces tartelettes avec des mûres fraîches.*

Losanges soufflés au café

Pour 10 losanges
Temps de préparation : 40 mn
Durée totale : 3 h (temps de réfrigération inclus)

Par losange :
Calories **170**
Protéines **3 g**
Cholestérol **30 mg**
Total des lipides **11 g**
Acides gras saturés **4 g**
Sodium **100 mg**

175 g de farine ordinaire
90 g de margarine polyinsaturée, glacée
2 c. à s. de cassonade
1/2 c. à s. de poudre de cacao

Soufflé au café

1 jaune d'œuf
45 g de sucre roux
3 c. à s. de café, très fort
1 c. à c. de gélatine en poudre
2 blancs d'œufs
8 cl de crème fleurette

Confectionnez les losanges : tamisez la farine dans un grand bol, ajoutez la margarine et frottez avec le bout des doigts jusqu'à obtention d'un mélange granuleux ; incorporez alors le sucre. Ajoutez 2 cuillerées à café d'eau froide et pétrissez la pâte jusqu'à ce qu'elle soit bien lisse.

Abaissez-la, au rouleau, sur 3 mm d'épaisseur et découpez-la, à l'aide d'un couteau bien aiguisé, en losanges de 11 × 8,5 cm. Foncez-en, en pressant fortement sur le fond et les parois, des moules en losange cannelés de 8,5 × 6 cm. Piquez avec une fourchette, disposez les moules sur une plaque de cuisson et mettez-les au réfrigérateur pendant 30 mn. Abaissez, pendant ce temps, les chutes de pâte, au rouleau, et découpez-y 30 petites feuilles que vous mettrez au réfrigérateur. Préchauffez le four à 220° (thermostat : 7).

Faites cuire les feuilles pendant 3 mn et les fonds de tarte pendant 15 à 20 mn. Laissez-les refroidir un peu avant de les démouler sur une grille pour qu'ils finissent de refroidir.

Préparez le soufflé au café : mettez dans un bol le jaune d'œuf avec le sucre et le café. Battez pendant 5 mn. Mettez 2 cuillerées à soupe d'eau dans un petit bol, saupoudrez avec la gélatine et laissez ramollir pendant 2 mn. Posez le bol au-dessus d'une casserole d'eau frémissante et remuez jusqu'à ce que la gélatine soit complètement dissoute. Versez-la petit à petit dans le mélange au café, en fouettant.

Mettez au réfrigérateur pendant 30 mn. Battez les deux blancs d'œufs en neige ferme et fouettez la crème jusqu'à ce qu'elle fasse de légers monticules. Incorporez la crème puis les blancs d'œufs dans le mélange au café. Remettez au réfrigérateur.

Transférez le soufflé dans une poche munie d'une grande douille étoilée et dressez des coquilles dans les fonds de tarte. Saupoudrez les losanges de cacao et décorez-les avec les feuilles. Mettez au réfrigérateur 30 mn, au moins, avant de servir.

Choux chocolatés à la mousse de fraises

Pour 12 choux
Temps de préparation : 30 mn
Durée totale : 1 h 30 (temps de réfrigération inclus)

Par chou :
Calories **125**
Protéines **8 g**
Cholestérol **50 mg**
Total des lipides **10 g**
Acides gras saturés **4 g**
Sodium **25 mg**

pâte à choux (recette, p. 10), dans laquelle on a remplacé 15 g de farine par 15 g de poudre de cacao
1 c. à s. de sucre glace

Mousse de fraises

2 c. à c. de gélatine en poudre
350 g de fraises, équeutées
250 g de fromage blanc
1 c. à s. de sucre semoule
1 c. à c. de kirsch ou d'alcool blanc de framboises

Préchauffez le four à 220° (thermostat : 7).

Préparez la mousse : mettez 2 cuillerées à soupe d'eau dans un petit bol, saupoudrez avec la gélatine et laissez ramollir 2 mn. Passez, entre-temps, au mixeur 250 g de fraises avec le fromage blanc, le sucre et le kirsch. Posez le bol de gélatine au-dessus d'une casserole d'eau, tout juste frémissante, et remuez jusqu'à ce que la gélatine soit dissoute ; ajoutez-la à la purée de fraises dans le mixeur et remettez en marche pendant 20 secondes. Transférez la mousse dans un bol et mettez-la au réfrigérateur pendant 1 heure.

Chemisez, pendant ce temps, la plaque de cuisson de papier sulfurisé et laissez tomber dessus, en les espaçant largement, 12 cuillerées à soupe bien pleines de pâte à choux. Enfournez-les et faites cuire 25 à 30 mn, jusqu'à ce qu'ils soient fermes et bien gonflés. Percez-les en plusieurs endroits, sur les côtés, pour laisser la vapeur s'échapper ; remettez-les au four, pendant 5 mn encore avant de les transférer sur une grille, pour les laisser refroidir.

Coupez les choux en deux horizontalement, retirez de l'intérieur la pâte qui ne serait pas cuite, remplissez la base de mousse, en vous servant d'une poche à douille ou d'une cuillère, émincez les fraises qui restent et disposez-les dessus. Couvrez avec la deuxième moitié, poudrez légèrement de sucre glace et servez. Les choux farcis tiendront deux heures, avant de commencer à se ramollir.

Anneaux aux framboises et aux amandes

Pour 28 anneaux
Temps de préparation : 50 mn
Durée totale : 1 h 15

Par anneau :
Calories **90**
Protéines **2 g**
Cholestérol **40 mg**
Total des lipides **6 g**
Acides gras saturés **2 g**
Sodium **60 mg**

275 g de pâte brisée (recette, p. 10)
60 g d'amandes, effilées
45 cl de crème pâtissière à l'orange (recette, p. 11)
350 g de framboises fraîches
1 c. à s. de sucre glace

Pâte à choux

45 g de beurre
60 g de farine ordinaire
1 œuf
1 blanc d'œuf

Abaissez, au rouleau, sur une surface légèrement farinée, la pâte brisée sur 3 mm d'épaisseur. Piquez-la bien avec une fourchette et découpez dedans, à l'aide d'un emporte-pièce simple de 7,5 cm, des rondelles que vous disposerez sur des plaques de cuisson ; étendez les chutes de pâte et découpez d'autres rondelles jusqu'à en avoir 28 ; mettez-les au réfrigérateur et préparez la pâte à choux.

Préchauffez le four à 200° (thermostat : 6). Utilisez pour faire la pâte à choux la méthode décrite p. 10, en partant de 12,5 cl d'eau et des ingrédients indiqués ci-dessus. Transférez la pâte à choux dans une poche à douille simple de 5 mm et dressez un anneau sur chaque rondelle de pâte brisée à 3 mm

du bord, parsemez uniformément le dessus des choux des amandes effilées ; enfournez et faites cuire pendant 15 à 20 mn. Retirez-les du four et laissez refroidir sur une grille.

Remplissez l'intérieur des anneaux avec la crème à l'orange, recouvrez de framboises et tamisez légèrement le sucre glace sur le dessus.

NOTE : *vous pouvez remplacer les framboises par de petites fraises, des mûres, des groseilles ou du cassis.*

Choux aux pêches

LE FAIT D'EMPRISONNER LA VAPEUR AU COURS DE LA CUISSON PERMET DE FAIRE UN CHOU ÉNORME AVEC TRÈS PEU DE PÂTE.

Pour 4 choux
Temps de préparation : 35 mn
Durée totale : 3 h (temps de réfrigération inclus)

Par chou :
Calories **150**
Protéines **5 g**
Cholestérol **75 mg**
Total des lipides **9 g**
Acides gras saturés **4 g**
Sodium **25 mg**

Garniture à la pêche

15 cl de jus d'orange, non sucré
1 c. à c. de gélatine
2 c. à c. de liqueur à l'orange (facultatif)
1 grosse pêche
60 g de fromage blanc

Pâte à choux

30 g de beurre
45 g de farine ordinaire
1 œuf

Mettez 1 cuillerée à soupe de jus d'orange dans un petit bol, saupoudrez avec la gélatine et laissez-la ramollir pendant 2 mn. Posez le bol au-dessus d'une casserole d'eau frémissante et remuez, jusqu'à ce que la gélatine soit complètement dissoute. Ajoutez, en remuant, la gélatine (et la liqueur si vous en utilisez) dans le reste du jus d'orange dans un grand bol. Mettez au réfrigérateur pendant 1 h jusqu'à ce que le mélange commence à prendre.

Préchauffez le four à 220° (thermostat : 7). Graissez une plaque de cuisson et prenez deux moules à cake de 900 g ou des moules similaires qui tiennent à plat et couvrent bien un espace fermé quand on les retourne sur la plaque de cuisson.

Suivant la méthode indiquée page 10, confectionnez la pâte à choux avec 5 cuillerées à soupe d'eau et les ingrédients ci-dessus. Divisez-la en quatre portions égales et posez-les sur la plaque de cuisson de manière que chaque moule à cake puisse en couvrir deux. Posez les moules inversés, enfournez et faites cuire les choux pendant 35 à 40 mn. Retirez les moules et transférez les choux sur une grille.

Pelez la pêche. Hachez grossièrement la chair, ajoutez-la à la gelée à l'orange et mettez le tout au réfrigérateur pendant 2 heures jusqu'à ce que la gelée soit bien ferme.

Préparez les choux juste avant de servir : coupez et retirez la partie supérieure, répartissez la gelée de pêche dans les parties inférieures, couvrez d'une cuillerée à café de fromage blanc et remettez les couvercles. Servez sans attendre.

Tricornes

Pour 12 tricornes
Temps de préparation : 50 mn
Durée totale : 1 h 50

Par tricorne :
Calories **160**
Protéines **5 g**
Cholestérol **75 mg**
Total des lipides **8 g**
Acides gras saturés **4 g**
Sodium **50 mg**

pâte à choux (recette, p. 10)
30 cl de crème pâtissière (recette, p. 11)
250 g de grains de raisin sans pépins, blanc ou noir, ou un mélange des deux
2 c. à s. de marmelade d'abricots ou d'oranges
60 g d'amandes décortiquées, mondées, effilées et grillées

Préchauffez le four à 220° (thermostat : 7). Chemisez de papier sulfurisé trois plaques de cuisson.

Mettez la pâte à choux dans une poche munie d'une douille simple de 2 cm et dressez douze tricornes sur les plaques de cuisson en débitant pour chacun 3 boules qui se touchent pour former un triangle. Enfournez et faites cuire les tricornes 25 à 30 mn ou jusqu'à ce que la pâte soit bien levée et dorée. Retirez-les du four et percez, avec la pointe d'un couteau, un petit trou sur le côté de chaque chou. Remettez-les au four 5 mn encore, pour les faire sécher, et laissez-les refroidir sur une grille.

Coupez les choux en deux et retirez toute la pâte non cuite qui pourrait se trouver encore à l'intérieur. Remplissez la partie inférieure de crème pâtissière et de quelques grains de raisin (s'ils sont trop gros, coupez-les d'abord en deux ou en quatre) et recouvrez avec la partie supérieure. Faites chauffer la marmelade dans une petite casserole jusqu'à ce qu'elle soit liquide, filtrez-la et étalez-la au pinceau sur le sommet de chaque chou. Saupoudrez d'amandes grillées et servez dans l'heure qui suit.

NOTE : *pour monder les amandes, faites-les blanchir 1 mn dans l'eau bouillante, égouttez-les bien et pressez avec les doigts pour les libérer de leur peau. Pour les faire griller, mettez-les sous le gril pendant 2 mn ou jusqu'à ce qu'elles soient bien dorées, en les retournant fréquemment.*

Galette aux fruits frais

Pour 16 parts
Temps de préparation : 30 mn
Durée totale : 3 h 15 (temps de réfrigération inclus)

Par part :
Calories **220**
Protéines **4 g**
Cholestérol **50 mg**
Total des lipides **8 g**
Acides gras saturés **4 g**
Sodium **75 mg**

un peu de blanc d'œuf battu, pour badigeonner la pâte

30 cl de crème pâtissière (recette, p. 11), aromatisée au Cointreau et faite avec 1 jaune d'œuf au lieu de 2

175 g de fraises, équeutées et coupées en tranches

2 kiwis, pelés, coupés en deux en longueur, puis en tranches

350 g d'ananas frais, pelé, coupé en quatre puis en tranches

12 grains de raisin noir, coupés en deux et épépinés

2 grosses pêches, pelées, coupées en deux, dénoyautées et coupées en tranches

2 c. à c. de sucre glace

15 cl de vin blanc

60 g de sucre semoule

2 c. à s. de Cointreau ou autre liqueur à l'orange

Pâte brisée

150 g de farine ordinaire

15 g de sucre glace

75 g de beurre, glacé

1 jaune d'œuf, légèrement battu

Pâte à choux

45 g de beurre

60 g de farine ordinaire

1 œuf

1 blanc d'œuf

Tamisez dans un grand bol la farine et le sucre puis ajoutez le beurre et frottez avec le bout des doigts jusqu'à obtention d'un mélange granuleux. Faites un puits au centre, mettez dedans le jaune d'œuf et 5 cuillères à café d'eau glacée ; mélangez : vous aurez une pâte assez ferme. Pétrissez-la très légèrement, sur une surface farinée, jusqu'à ce qu'elle soit lisse, enveloppez-la dans une pellicule plastique et mettez-la au réfrigérateur pendant 30 mn.

Abaissez, sur une surface légèrement farinée, la pâte en un carré d'un peu plus de 30 cm de côté. Taillez les bords pour avoir un carré net de 30 cm exactement, piquez bien toute la surface avec une fourchette ; coupez le carré en deux rectangles égaux et posez-les sur une grande ou deux petites plaques de cuisson. Mettez au réfrigérateur 30 mn.

Préchauffez le four à 200° (thermostat : 6) et

préparez la pâte à choux suivant la méthode exposée page 10, en utilisant 12,5 cl d'eau et les ingrédients indiqués ci-dessus. Transférez-la dans une poche munie d'une douille en étoile de 1 cm. Tracez, à l'aide d'un pinceau trempé dans le blanc d'œuf battu, une bande de 1 cm de large le long de chacun des longs côtés des rectangles. Dressez dessus une bande de pâte à choux à 5 mm du bord.

Enfournez et faites cuire les pâtes pendant 25 mn. En vous servant de la pointe d'un petit couteau, faites plusieurs incisions tout au long du rebord intérieur de chaque bande de choux pour permettre à la vapeur de s'échapper. Remettez au four 5 mn encore, transférez sur une grille et laissez refroidir.

Coupez les bandes de choux en deux, horizontalement, et retirez à la cuillère la pâte non cuite. Dressez, à l'aide d'une poche munie d'une douille étoilée à 12 branches, de 1 cm, un ruban de crème tout au long pour remplir la partie inférieure de chaque bande et posez dessus la partie supérieure. Étalez le reste de la crème pâtissière en une couche régulière, sur toute la surface de la pâte brisée. Disposez dessus les fruits en un dessin régulier et saupoudrez légèrement de sucre glace.

Préparez, pour finir, le glaçage des fruits. Faites chauffer doucement, dans une petite casserole, le vin, le sucre semoule et le Cointreau, en remuant, puis faites bouillir le sirop 3 ou 4 mn pour le réduire et l'épaissir. Étalez-le au pinceau sur les fruits.

Coupez chaque galette en huit tranches et servez.

Choux aux framboises

Pour 12 choux
Temps de préparation : 25 mn
Durée totale : 1 h 10

Par chou :
Calories **95**
Protéines **3 g**
Cholestérol **50 mg**
Total des lipides **6 g**
Acides gras saturés **3 g**
Sodium **100 mg**

60 g de beurre
45 g de farine complète, tamisée, le son réservé
30 g de farine ordinaire
2 œufs, légèrement battus
1 c. à c. de graines de sésame
1 c. à s. de sucre glace

Garniture aux framboises et fromage
175 g de fromage blanc, maigre
1 c. à s. de miel
125 g de framboises fraîches

Préchauffez le four à 200° (thermostat : 6). Chemisez de papier sulfurisé une plaque de cuisson assez grande pour y cuire les 12 choux.

Faites chauffer doucement le beurre avec 15 cl d'eau dans une casserole à fond épais, jusqu'à ce qu'il soit fondu. Montez le feu et portez à ébullition. Retirez la casserole du feu, ajoutez en même temps les deux farines et le son et battez vigoureusement avec une cuillère en bois. Remettez la casserole sur le feu et continuez de battre jusqu'à ce que le mélange forme une boule au milieu de la casserole. Laissez refroidir pendant quelques minutes.

Réservez une cuillerée à soupe des œufs battus et incorporez le reste, cuillerée par cuillerée, dans le mélange partiellement refroidi, en battant constamment au fouet électrique, jusqu'à ce que la pâte soit lisse et luisante. Dressez à la cuillère 12 monticules de pâte à choux, en les espaçant largement, sur la plaque de cuisson.

Enduisez chaque chou au pinceau avec l'œuf battu réservé et saupoudrez de sésame. Enfournez et faites cuire 20 à 25 mn jusqu'à ce que les choux soient dorés et croustillants. Percez-les avec la pointe d'un couteau pour laisser échapper la vapeur puis remettez-les au four pendant 5 mn pour qu'ils sèchent. Laissez les choux refroidir sur une grille.

Préparez la garniture : battez ensemble le fromage blanc et le miel pour avoir une crème lisse et incorporez-y délicatement les framboises. Coupez les choux en deux, horizontalement, et retirez-en la pâte non cuite. Remplissez, à la cuillère, la partie inférieure, posez dessus la partie supérieure et saupoudrez de sucre glace.

Choux aux dattes

Pour 14 choux
Temps de préparation : 1 h 15
Durée totale : 2 h

Par chou :
Calories **160**
Protéines **3 g**
Cholestérol **50 mg**
Total des lipides **7 g**
Acides gras saturés **5 g**
Sodium **20 mg**

90 g de chocolat à croquer
pâte à choux (recette, p. 10)
2 c. à c. de sucre glace
tranches d'orange (facultatif)

Garniture aux fruits

3 oranges
250 g de dattes fraîches, dénoyautées et hachées
1/8 de c. à c. de cannelle, moulue
2 c. à c. de sucre glace
125 g de fromage blanc
6 cl de crème fleurette

Préparez tout d'abord les feuilles en chocolat de la décoration. Choisissez 28 petites feuilles de rosier intactes, lavez et séchez-les bien. Faites fondre le chocolat dans une assiette posée au-dessus d'une casserole d'eau frémissante, en remuant doucement. En prenant chaque feuille par la tige, pressez-en doucement la face interne dans le chocolat fondu, puis retirez-la en passant sur le bord de l'assiette pour en ôter l'excédent de chocolat. Posez les feuilles, côté chocolaté au dessus, sur une assiette propre et laissez-les reposer dans un endroit frais.

Préchauffez le four à 220° (thermostat : 7), chemisez de papier sulfurisé trois plaques de cuisson et tracez dessus, en les espaçant largement, 14 cercles de 6 cm de diamètre, retournez les feuilles de papier.

Remplissez de la pâte à chou une poche munie d'une douille simple de 1 cm. En partant du centre de chaque cercle, dressez une spirale continue pour le remplir. Enfournez et faites cuire les choux 25 à 30 mn. Retirez-les du four, percez chacun d'un trou sur le côté avec la pointe d'un couteau puis remettez-les au four pendant 5 mn pour en sécher l'intérieur. Laissez refroidir sur une grille.

Préparez la garniture : râpez, dans un grand bol, le zeste d'une orange et ajoutez les dattes. Pelez les trois oranges à vif et coupez-les en quartiers *(encadré, ci-contre).* Coupez ensuite chaque quartier en 2 ou 3 morceaux et mettez-les avec les dattes. Mélangez la cannelle, le sucre glace et le fromage blanc et incorporez-les aux fruits. Fouettez la crème et mettez-la dans une poche à douille étoilée de 1 cm.

Fourrez chaque chou de la garniture aux fruits. Tamisez dessus le sucre glace et dressez au sommet une coquille de crème fouettée.

En partant de la tige, détachez délicatement les feuilles de rosier de leur double en chocolat et disposez deux feuilles en chocolat sur chaque coquille de crème. Servez en accompagnant, si vous le souhaitez, de quelques tranches d'orange.

Détailler une orange en quartiers

1 *PELER LE FRUIT. En vous servant d'un couteau bien aiguisé, coupez d'abord les deux extrémités de l'orange. Posez ensuite le fruit sur une de ses extrémités et coupez la peau pour la détacher en lanières verticales en éliminant du même coup la peau blanche.*

2 *DÉTACHER LES QUARTIERS. En tenant d'une main l'orange au-dessus d'un bol, pour en récupérer le jus, passez délicatement la lame d'un couteau entre la membrane et la pulpe pour libérer chaque quartier.*

Choux aux poires et aux noisettes

Pour 36 choux
Temps de préparation : 1 h
Durée totale : 1 h 30

Par chou :
Calories **75**
Protéines **2 g**
Cholestérol **20 mg**
Total des lipides **5 g**
Acides gras saturés **2 g**
Sodium **30 mg**

35 g de noisettes, décortiquées, grillées et pelées (encadré, p. 29), finement hachées
pâte à choux (recette, p. 10)
8 grosses poires, mûres et fermes
1 c. à c. de jus de citron, fraîchement pressé
15 g de beurre
30 g de sucre semoule
1 1/2 c. à s. de sucre glace

Préchauffez le four à 220° (thermostat : 7). Chemisez de papier sulfurisé deux plaques de cuisson assez grandes pour y accueillir 36 choux.

Réservez une cuillerée à soupe de noisettes hachées et incorporez le reste dans la pâte à choux fraîchement préparée. Transférez la pâte dans une poche à douille simple de 2 cm et dressez, sur les 2 plaques, 36 petites boules, de 4 cm de diamètre, en les espaçant largement. Posez dessus, en pressant, pour les enfoncer, les noisettes réservées, enfournez et faites cuire les choux pendant 20 à 25 mn, jusqu'à ce qu'ils soient dorés et croustillants. Percez chacun avec la pointe d'un couteau pour laisser la vapeur s'échapper puis remettez-les au four pendant 5 mn pour que la pâte sèche complètement. Laissez-les refroidir sur une grille.

Pendant que les choux cuisent, pelez, évidez et émincez les poires. Faites-les cuire, à feu modéré, dans une casserole en matériau inerte, avec le jus de citron et 2 cuillerées à café d'eau, en remuant de temps en temps, pour en faire une purée légère puis passez à feu vif et faites cuire jusqu'à ce que le mélange soit presque sec. Incorporez le beurre et le sucre semoule et faites cuire encore à feu vif jusqu'à ce qu'il commence à caraméliser. Égouttez pour éliminer le liquide qui reste et laissez refroidir.

Juste avant de servir, coupez les choux en deux horizontalement et remplissez la partie inférieure de purée. Recouvrez avec la partie supérieure et tamisez le sucre glace sur le dessus.

Éclairs aux pommes et au caramel

Pour 20 éclairs
Temps de préparation : 1 h
Durée totale : 1 h 30

Par éclair :
Calories **70**
Protéines **1 g**
Cholestérol **35 mg**
Total des lipides **4 g**
Acides gras saturés **2 g**
Sodium **15 mg**

pâte à choux (recette, p. 10)
4 pommes couteau
1 c. à c. de calvados
2 c. à s. de yaourt, crémeux
90 g de sucre semoule

Chemisez de papier sulfurisé une plaque de cuisson et préchauffez le four à 220° (thermostat : 7).

Transférez la pâte à choux dans une poche à douille simple de 1 cm et dressez, sur la plaque de cuisson, en les espaçant largement, des bâtonnets de 7,5 cm, en coupant à chaque fois la pâte avec un couteau humide dès qu'elle a atteint la longueur requise. Enfournez et faites cuire 25 à 30 mn. Percez, avec la pointe d'un couteau, quelques trous dans chacun pour laisser la vapeur s'échapper puis remettez-les au four pendant 5 mn pour les sécher complètement. Laissez refroidir sur une grille. Évidez et émincez les pommes, mettez-les dans une casserole à fond épais avec 1 cuillerée à soupe d'eau, couvrez et faites-les cuire, à feu doux, jusqu'à ce qu'elles soient tendres et que le liquide soit évaporé. Laissez la purée refroidir pendant 30 mn avant d'incorporer le calvados et le yaourt.

Préparez le caramel : mettez le sucre et 6 cuillères à soupe d'eau dans une petite casserole à fond épais, sur feu modéré, sans remuer, jusqu'à ce que le sucre soit dissous. Faites tiédir un thermomètre à sucre dans une cruche pleine d'eau chaude avant de le mettre dans la casserole. Portez le sirop à ébullition et faites-le cuire rapidement jusqu'à ce qu'il ait une belle couleur brun-roux (le thermomètre marquera alors 160 à 170°). Éliminez les cristaux de sucre qui se seraient formés sur les parois à l'aide d'un pinceau à pâtisserie trempé dans de l'eau chaude (évitez les brosses en nylon qui fondent).

Retirez la casserole du feu, prenez délicatement les bâtonnets avec les doigts et trempez-les dans le caramel pour en recouvrir la partie supérieure. Posez-les ensuite, côté caramel au-dessus, sur une grille placée sur une feuille de papier sulfurisé et laissez-les reposer 5 mn, le temps que le caramel durcisse. Coupez-les en deux horizontalement et remplissez-les de pommes au yaourt. Servez.

Choux à la mangue et au gingembre

Pour 24 choux
Temps de préparation : 45 mn
Durée totale : 1 h 20

Par chou :
Calories **100**
Protéines **2 g**
Cholestérol **30 mg**
Total des lipides **5 g**
Acides gras saturés **3 g**
Sodium **40 mg**

pâte à choux (recette, p. 10)
2 mangues, mûres
175 cl de crème fleurette
125 g de sucre glace, tamisé
1 c. à c. de gingembre, moulu

Préchauffez le four à 220° (thermostat : 7). Chemisez de papier sulfurisé deux plaques de cuisson.

Transférez la pâte à choux dans une poche à douille ordinaire de 1 cm et dressez sur les plaques, 24 anneaux bien espacés, en veillant à ce que le trou au centre de l'anneau soit le plus petit possible afin que, une fois cuits, les anneaux se soient refermés en formant un chou. Enfournez et faites cuire les choux pendant 25 à 30 mn. Percez chacun en deux ou trois endroits avec la pointe d'un couteau pour laisser la vapeur s'échapper, remettez-les au four pendant 5 mn pour qu'ils sèchent et laissez-les refroidir sur une grille. Pelez, pendant ce temps, les mangues ; dénoyautez-les et coupez-les en dés.

Quand les choux sont refroidis, coupez-les en deux horizontalement. Fouettez la crème jusqu'à ce qu'elle soit bien ferme et transférez-la dans une poche à douille étoilée de 5 mm. Dressez un ruban circulaire de crème sur le pourtour de la partie inférieure, remplissez, à la cuillère, le centre de dés de mangue et posez dessus les chapeaux.

Battez le sucre glace et le gingembre avec 2 cuillerées à café d'eau pour avoir un mélange lisse et brillant. Confectionnez une poche en papier sulfurisé et remplissez-la du mélange ; coupez la pointe et dressez sur les choux un motif en zigzag.

Éclairs au vin

Pour 20 éclairs
Temps de préparation : 1 h
Durée totale : 3 h

Par éclair :
Calories **75**
Protéines **1 g**
Cholestérol **15 mg**
Total des lipides **3 g**
Acides gras saturés **2 g**
Sodium **30 mg**

1 grosse orange
1 citron
30 cl de vin blanc
60 g de sucre semoule
30 g de maïzéna
2 c. à s. de crème double
60 g de sucre glace

Pâte à choux

12,5 cl de vin blanc
45 g de beurre
60 g de farine ordinaire
1 œuf entier
1 blanc d'œuf

Préparez, pour commencer, la garniture et la décoration. En vous servant d'un couteau économe, détachez en fines lanières, de haut en bas, les zestes de l'orange et du citron. Coupez le tiers de ces lanières en fine julienne et réservez-les. Mettez le reste dans une casserole avec le vin, portez presque à ébullition, retirez du feu, couvrez et laissez infuser au minimum pendant 30 mn.

Mettez, pendant ce temps, 30 g de sucre semoule dans une petite casserole avec 2 cuillerées à soupe d'eau froide. Faites chauffer doucement, jusqu'à ce que le sucre soit dissous, puis portez à ébullition. Ajoutez les juliennes de zestes et faites cuire 1 mn à feu doux pour les attendrir. Mettez-les à égoutter dans un tamis et jetez le sirop. Chemisez de papier sulfurisé un petit plateau, séparez les zestes et disposez-les, un à un, sur le papier ; laissez sécher.

Retirez, à l'aide d'une écumoire, les lanières de zeste qui macèrent dans le vin et jetez-les. Délayez, dans un petit bol, la maïzéna dans un peu de vin pour avoir une crème lisse ; incorporez-la, avec le reste du sucre semoule, dans le vin qui reste dans la casserole. Portez à ébullition à feu modéré, en remuant constamment, jusqu'à ce que le mélange soit épais et limpide. Faites cuire encore pendant 2 ou 3 mn à feu doux. Retirez la casserole du feu et couvrez la surface du mélange d'une pellicule plastique, pour éviter la formation d'une peau. Laissez refroidir pendant 20 mn.

Fouettez la crème jusqu'à ce qu'elle forme des monticules légers. Dès que le mélange au vin est refroidi, fouettez-le jusqu'à ce qu'il soit lisse puis incorporez-y, petit à petit, la crème.

Couvrez la surface de la crème au vin d'une pellicule plastique et mettez-la au réfrigérateur, le temps de préparer les éclairs.

Préchauffez le four à 220° (thermostat : 7) et chemisez de papier sulfurisé une grande plaque ou deux petites plaques de cuisson.

Préparez la pâte à choux, avec les ingrédients cités plus haut, comme indiqué page 10 (ici le vin remplace l'eau). Mettez la pâte dans une poche munie d'une douille étoilée de 1 cm. Déposez sur la plaque 20 doigts de pâte de 7,5 cm de longueur, en les espaçant bien. Faites cuire les éclairs 20 à 25 mn jusqu'à ce qu'ils soient gonflés et bien dorés. Percez chaque éclair, avec la pointe d'un couteau, pour laisser s'échapper la vapeur, et remettez 5 mn au four pour qu'ils sèchent complètement. Transférez les éclairs sur une grille pour les laisser refroidir.

Coupez chaque éclair horizontalement. Fourrez la base de crème au vin et remettez en place le chapeau. Tamisez le sucre glace dans un petit bol et ajoutez-lui 3 cuillères à soupe d'eau bouillante. Badigeonnez les éclairs de ce glaçage, à l'aide d'un pinceau, puis décorez-les des zestes de citron et d'orange. Mettez-les de côté 20 à 30 mn, le temps que le glaçage se solidifie.

Consommez ces éclairs le jour même.

Paris-Brest miniatures

LE PREMIER PARIS-BREST A ÉTÉ CRÉE ET BAPTISÉ PAR UN PÂTISSIER FRANÇAIS, AU TOURNANT DU SIÈCLE, À L'OCCASION DE LA FAMEUSE COURSE CYCLISTE QUI PORTE CE NOM. LE GÂTEAU CLASSIQUE ÉTAIT FOURRÉ DE CRÈME PÂTISSIÈRE PRALINÉE AUX AMANDES. DANS CETTE VARIANTE, LA CRÈME A ÉTÉ ALLÉGÉE AVEC DU YAOURT ET LES AMANDES ONT ÉTÉ REMPLACÉES PAR DES NOISETTES, MOINS GRASSES.

Pour 20 anneaux
Temps de préparation : 1 h
Durée totale : 2 h

Par anneau :
Calories **100**
Protéines **2 g**
Cholestérol **35 mg**
Total des lipides **7 g**
Acides gras saturés **4 g**
Sodium **20 mg**

pâte à choux (recette, p. 10)
90 g de noisettes, grillées et pelées (encadré, p. 29)
90 g de sucre semoule
4 c. à s. de crème double
30 cl de yaourt grec, épais
1 c. à s. de sucre glace
3 cerises confites, émincées

Préchauffez le four à 220° (thermostat : 7) et chemisez de papier sulfurisé deux plaques de cuisson ; à l'aide d'un emporte-pièce de 6 cm, tracez 20 cercles sur le papier et retournez-le.

Transférez à la cuillère la pâte à chou dans une poche à douille étoilée de 1 cm. En suivant le tracé des cercles, dressez des anneaux sur le papier. Enfournez et faites cuire pendant 20 à 25 mn, jusqu'à ce que les anneaux soient bien gonflés, dorés et fermes au toucher. Percez avec la pointe d'un couteau plusieurs trous sur le pourtour pour permettre à la vapeur de s'échapper et remettez au four, 5 mn encore, pour qu'ils sèchent complètement. Laissez-les refroidir sur une grille. Sitôt qu'ils sont refroidis, coupez-les en deux horizontalement.

Beurrez légèrement une petite plaque de cuisson, destinée au praliné. Mettez les noisettes et le sucre dans une petite casserole à fond épais et faites chauffer à feu doux jusqu'à ce que le sucre fonde et se mue en un caramel doré. Versez immédiatement le contenu de la casserole sur la plaque beurrée. Laissez-le refroidir dans un endroit frais, pendant 30 mn, jusqu'à ce qu'il ait durci.

Cassez la plaque de caramel en morceaux, mettez-les dans un sac de plastique épais et mettez ce sac dans un autre sac. Pilez le caramel au pilon pour le réduire en poudre, passez-le à travers un tamis en métal à grosses mailles.

Fouettez la crème pour l'épaissir, mais en évitant d'en faire du beurre. Incorporez délicatement le yaourt, puis enveloppez dedans les noisettes pralinées, après en avoir réservé une cuillerée à soupe pour la décoration.

Mettez un peu de crème pralinée dans la partie inférieure de chaque anneau, recouvrez avec la partie supérieure, tamisez légèrement de sucre glace sur le dessus et décorez avec les tranches de cerises confites et les noisettes pralinées réservées.

Éclairs au chocolat

Pour 24 éclairs
Temps de préparation : 50 mn
Durée totale : 1 h 50

Par éclair :
Calories **75**
Protéines **1 g**
Cholestérol **30 mg**
Total des lipides **4 g**
Acides gras saturés **2 g**
Sodium **10 mg**

pâte à choux (recette, p. 10)
175 g de sucre cristallisé
30 g de pistaches, décortiquées, pelées et hachées
60 cl de crème pâtissière, aromatisée au chocolat (recette, p. 11)

Chemisez de papier sulfurisé deux grandes plaques et préchauffez le four à 220° (thermostat : 7).

Transférez, à la cuillère, la pâte à choux dans une poche à douille simple de 1 cm et dressez, sur les plaques, 24 rubans de 7,5 cm, en les espaçant bien et en coupant la pâte, à la dimension voulue, à l'aide d'un couteau humide. Enfournez et faites cuire 25 à 30 mn, jusqu'à ce que les éclairs soient bien gonflés et dorés. Percez avec la pointe d'un couteau un petit trou à une extrémité de chaque éclair. Remettez-les à cuire pendant 5 mn pour qu'ils sèchent bien. Laissez refroidir sur une grille.

Pour préparer le caramel, mettez, dans une petite casserole à fond épais, le sucre avec 8 cl d'eau et faites chauffer, en remuant, à feu doux jusqu'à ce que le sucre soit dissous. Éliminez les cristaux de sucre qui adhéreraient aux parois, à l'aide d'un pinceau à pâtisserie trempé dans de l'eau chaude. Faites tiédir un thermomètre en le trempant dans une cruche d'eau chaude et mettez-le dans la casserole. Faites bouillir le sirop jusqu'à ce que le thermomètre indique 160 ou 170° : il sera alors brun-doré. Retirez la casserole du feu. En prenant délicatement chaque éclair avec les doigts, trempez-en la partie supérieure dans le caramel, saupoudrez immédiatement de pistaches et posez-le sur une grille placée sur une feuille de papier sulfurisé.

Transférez la crème pâtissière dans une poche à douille étoilée de 1 cm, fendez complètement chaque éclair sur un côté, juste au-dessous de la couche de caramel, ouvrez et fourrez-le de crème.

Servez les éclairs dans les deux ou trois heures. Jusqu'au moment de servir, ils doivent être conservés dans un endroit frais et sec. Une atmosphère humide rendrait le caramel poisseux.

NOTE : *pour peler les pistaches, faites-les blanchir 1 mn dans de l'eau bouillante, égouttez-les complètement, puis frottez-les vigoureusement dans une serviette.*

Éventails de filo

Pour 16 éventails
Temps de préparation : 45 mn
Durée totale : 55 mn

Par éventail :
Calories **80**
Protéines **1 g**
Cholestérol **15 mg**
Total des lipides **3 g**
Acides gras saturés **1 g**
Sodium **20 mg**

60 g d'amandes, moulues
125 g plus 1 c. à s. de sucre roux
les zestes, râpés, et les jus, filtrés, de 2 citrons
1 c. à s. de lait écrémé
1 œuf
4 feuilles de filo, de 45 × 30 cm
1 c. à c. d'huile de carthame
30 g de chocolat à croquer

Mettez dans un bol les amandes moulues, la cuillerée à soupe de sucre, le zeste de citron et le lait. Ajoutez l'œuf et battez pour avoir une pâte lisse.

Faites chauffer doucement, dans une petite casserole à fond épais, le jus de citron avec le reste du sucre pour faire un glaçage. Remuez jusqu'à ce que le sucre soit dissous, portez à ébullition et faites cuire 2 mn jusqu'à avoir un mélange sirupeux. Réservez.

Préchauffez le four à 200° (thermostat : 6) ; mettez les feuilles de filo en pile et couvrez-les d'un linge humide pour leur éviter de sécher.

Étalez une de ces feuilles sur un plan de travail et couvrez-la uniformément avec la moitié du mélange aux amandes. Étalez dessus une deuxième feuille en pressant doucement. Coupez les feuilles en deux dans le sens de la largeur puis en quatre dans le sens de la longueur pour avoir 8 petites bandes farcies, de 22,5 × 7,5 cm.

Répétez l'opération avec les deux autres feuilles de filo et le reste du mélange aux amandes.

Plissez l'un des petits côtés d'une bande de manière à avoir 8 à 10 plis, posez-la sur une plaque de cuisson et, en pinçant les plis pour les rapprocher à une extrémité, déployez-les à l'autre extrémité pour avoir une sorte d'éventail. Façonnez-en ainsi 16.

Enduisez-les légèrement d'huile, enfournez-les et faites cuire 7 ou 8 mn jusqu'à ce qu'ils soient bien dorés. Retirez-les du four, étalez dessus avec un pinceau le glaçage au citron et laissez-les refroidir.

Faites fondre le chocolat dans un bol posé au-dessus d'une casserole d'eau chaude, et versez-le dans une poche en papier sulfurisé ; coupez-en la pointe et décorez les éventails d'un ruban de chocolat.

Fruits en croûte de filo

Pour 12 fruits
Temps de préparation : 30 mn
Durée totale : 1 h 20

Par fruit :
Calories **50**
Protéines **1 g**
Cholestérol **10 mg**
Total des lipides **2 g**
Acides gras saturés **1 g**
Sodium **15 mg**

4 abricots, coupés en 2 et dénoyautés
4 prunes, coupées en 2 et dénoyautées
4 figues, pelées et coupées en 2
4 feuilles de filo, de 45 × 30 cm
30 g de beurre, fondu
1 c. à c. d'amandes, effilées
sucre glace pour décorer

Farce de riz à l'eau de rose

15 cl de lait écrémé
30 g de crème de riz, moulu
1 c. à c. de sucre semoule
3 c. à c. d'eau de rose

Pour préparer la farce, mettez le lait dans une petite casserole et portez à ébullition à feu modéré. Ajoutez, en pluie, le riz moulu, en remuant constamment, jusqu'à ce que le mélange recommence à bouillir. Baissez le feu et laissez frémir 2 mn avant d'ajouter, en remuant, le sucre semoule et l'eau de rose. Laissez refroidir.

Coupez, entre-temps, chaque feuille de filo en 6 carrés de 15 cm de côté. Empilez les 24 carrés et couvrez-les d'un linge humide jusqu'au moment de les utiliser ; vous les retirerez au fur et à mesure.

Étalez un peu de la farce refroidie sur la partie coupée de chaque fruit, en remplissant les cavités de chaque abricot et de chaque prune ; joignez les 2 moitiés de chaque fruit pour le reconstituer.

Préchauffez le four à 200° (thermostat : 6) et enveloppez chaque fruit dans deux carrés de filo. Pour les abricots, placez chaque fruit au centre d'un des côtés de la feuille de filo et roulez pour l'enfermer, entortillez les deux extrémités en sens inverse comme pour un bonbon, enduisez de beurre au pinceau et enroulez de la même manière dans une deuxième feuille de filo. Pour les prunes, posez-les, côté tige en haut, au centre d'une feuille de filo, remontez et rassemblez la feuille autour du fruit et pincez en tordant au sommet. Enduisez de beurre fondu et enveloppez dans une deuxième feuille. Aplatissez le sommet de la pâte sur le fruit. Enveloppez les figues de la même manière, mais en déployant les couches de pâte au sommet.

Disposez les fruits enveloppés, en les espaçant bien sur une plaque de cuisson légèrement beurrée. Enduisez légèrement au pinceau chaque fruit de beurre et recouvrez les abricots d'amandes effilées. Faites cuire pendant 10 mn ; transférez sur une grille et laissez reposer 30 mn, juste le temps de refroidir les fruits. Tamisez dessus un peu de sucre glace.

Feuilletés aux coings

Pour 18 personnes
Temps de préparation : 1 h
Durée totale : 2 h 40

Par part :
Calories **235**
Protéines **7 g**
Cholestérol **15 mg**
Total des lipides **6 g**
Acides gras saturés **4 g**
Sodium **190 mg**

500 g de coings
125 g de sucre roux
le zeste, râpé, et le jus d'un demi-citron
1 bâton de cannelle
125 g de châtaignes
250 g de fromage blanc maigre
1 c. à c. de cannelle, moulue
1 c. à c. de zeste d'orange, finement râpé
3 feuilles de filo, de 45 × 30 cm
45 g de beurre, fondu
1 c. à s. de sucre glace

Pelez et évidez les coings, coupez-les en tranches de 2 cm d'épaisseur et réservez la peau. Plongez-les dans de l'eau acidulée pour éviter qu'ils noircissent. Faites dissoudre le sucre dans une petite casserole en matériau inerte, contenant 30 cl d'eau, ajoutez le zeste et le jus de citron, le bâton de cannelle et la peau des coings ; laissez frémir 20 mn puis filtrez le sirop et remettez-le dans la casserole. Faites égoutter les tranches de coings, puis pochez-les dans le sirop pendant 30 mn jusqu'à ce qu'elles soient tendres. Pelez, pendant ce temps, les châtaignes *(encadré ci-dessous)*, faites-les cuire 20 mn dans une casserole d'eau frémissante, jusqu'à ce qu'elles soient tendres sans se défaire, puis égouttez-les complètement et hachez-les grossièrement. Transférez les tranches de coings dans une assiette et laissez-les refroidir. Réservez 2 cuillerées à soupe du sirop dans lequel vous les avez fait pocher et mélangez, dans un bol, le fromage blanc, le sirop, la cannelle moulue et le zeste d'orange.

Préchauffez le four à 190° (thermostat : 5) et huilez légèrement une plaque de cuisson.

Étalez une feuille de filo sur un plan de travail en laissant les autres empilées sous un linge humide, et enduisez-la légèrement de beurre fondu, à l'aide d'un pinceau. Pliez-la en deux dans le sens de la largeur ; étalez un tiers du mélange au fromage le long d'un long côté à 4 cm du bord et de chaque extrémité. Disposez dessus un tiers des châtaignes et recouvrez avec un tiers des tranches de coings. Repliez le bord de la pâte sur la farce, enduisez de beurre fondu le bord des trois autres côtés ; repliez sur la farce les bords des deux petits côtés et roulez pour enfermer la farce dans le sens de la longueur. Posez le strudel, soudure au-dessous, sur la plaque de cuisson et enduisez la surface de beurre fondu. Faites de même avec le reste de pâte et de farce pour confectionner deux autres strudels.

Enfournez-les et faites-les cuire de 35 à 40 mn jusqu'à ce qu'ils soient bien dorés et croustillants. Laissez-les refroidir sur une grille. Saupoudrez de sucre glace juste avant de découper et de servir.

NOTE : *vous pouvez remplacer les coings par des poires fermes que vous aurez fait pocher pendant 10 mn et égoutter sur du papier absorbant : il vous faudra ajouter 2 cuillerées à soupe de confiture de coing au fromage.*

Peler les châtaignes

1 *PRÉPARER LES CHÂTAIGNES. Incisez en croix, avec un couteau bien aiguisé, la peau brune de chaque châtaigne. Jetez les châtaignes dans de l'eau bouillante et faites-les cuire 10 mn.*

2 *LES PELER. En vous servant d'une écumoire et en n'en prenant que quelques-unes à la fois, retirez les châtaignes et débarrassez-les de leur peau brune et de la peau intérieure pendant qu'elles sont encore chaudes.*

Strudel aux pommes

Pour 12 personnes
Temps de préparation : 30 mn
Durée totale : 1 h 30 (temps de refroidissement inclus)

Calories **60**
Protéines **1 g**
Cholestérol **traces**
Total des lipides **2 g**
Acides gras saturés **1 g**
Sodium **20 mg**

2 c. à c. d'huile de carthame
45 g de müesli non sucré, riche en fruits secs
30 g de sucre roux
1 c. à c. de cannelle, moulue
350 g de pommes à cuire
4 feuilles de filo, de 45 × 30 cm
15 g de beurre, fondu
1 c. à c. de sucre glace

Préchauffez le four à 200° (thermostat : 6). Pour préparer la garniture, faites chauffer l'huile dans une petite casserole ; ajoutez le müesli et faites-le revenir à feu doux pendant 2 mn jusqu'à ce qu'il soit croustillant. Ajoutez, en remuant, le sucre et 1/2 cuillerée à café de cannelle ; laissez refroidir pendant que vous pelez, évidez et émincez les pommes.

Posez une feuille de filo sur un plan de travail et enduisez-la légèrement, au pinceau, de beurre fondu. Étalez par dessus les autres feuilles en les enduisant, au fur et à mesure, de beurre fondu. Disposez à intervalles réguliers les pommes émincées sur le bord d'un des longs côtés de la feuille et répandez dessus le müesli au sucre et à la cannelle ; roulez-la en enfermant la farce, et posez ce rouleau, soudure au-dessous, sur une plaque de cuisson légèrement beurrée. (Si la plaque est trop petite, recourbez le strudel en forme de croissant.)

Enduisez le strudel avec le reste du beurre et faites-le cuire 30 mn. Laissez refroidir sur une grille ou servez chaud, à peine sorti du four. Juste avant de servir, tamisez dessus le sucre glace mélangé au reste de la cannelle. Coupez en douze tranches.

Spirales aux amandes

Pour 18 spirales
Temps de préparation : 35 mn
Durée totale : 50 mn

Par spirale :
Calories **85**
Protéines **2 g**
Cholestérol **traces**
Total des lipides **6 g**
Acides gras saturés **2 g**
Sodium **5 mg**

125 g d'amandes, moulues
90 g de sucre semoule
1 blanc d'œuf
1/4 de c. à c. d'essence d'amandes
6 feuilles de filo, de 45 × 30 cm
45 g de beurre, fondu
sucre glace, pour décorer

Mélangez, dans un grand bol, les amandes moulues, le sucre semoule, le blanc d'œuf et l'essence d'amandes pour en faire une pâte lisse que vous diviserez en 18 parts égales.

Coupez, dans le sens de la largeur, chaque feuille de filo en trois rectangles de 30 × 15 cm, empilez les 18 rectangles, couvrez-les d'un linge humide, pour leur éviter de sécher et de devenir cassantes, et préchauffez le four à 190° (thermostat : 5).

Confectionnez les spirales (l'une après l'autre, pour empêcher le filo de sécher entre-temps). Roulez une portion de pâte d'amandes en un mince boudin de 29 cm, sur un plan de travail, préalablement saupoudré de sucre glace, si la pâte est collante ; étalez une feuille de filo sur le plan de travail, enduisez-la légèrement de beurre fondu, posez le boudin de pâte d'amandes sur le bord du côté long de la feuille, enroulez, puis formez la spirale.

Faites de même avec les 17 autres feuilles de filo, disposez les 18 spirales sur des plaques de cuisson en pressant l'extrémité de chacune contre le bord de la plaque pour l'empêcher de se dérouler ; enduisez-les de beurre fondu, enfournez et faites-les cuire de 12 à 15 mn jusqu'à ce qu'elles soient bien dorées.

Retirez les spirales du four et laissez-les complètement refroidir sur des grilles. Saupoudrez-les de sucre glace, juste avant de servir.

Coussinets au pavot

Pour 16 coussinets
Temps de préparation : 35 mn
Durée totale : 1 h

Par coussinet :
Calories **110**
Protéines **3 g**
Cholestérol **traces**
Total des lipides **6 g**
Acides gras saturés **1 g**
Sodium **25 mg**

125 g, plus 1 c. à c., de graines de pavot
25 cl de jus d'orange
125 g de raisins de Smyrne
60 g de sucre roux
le zeste, râpé, d'une orange
1/8 de c. à c. d'épices pour pain d'épices
6 feuilles de filo, de 45 × 30 cm
30 g de beurre, fondu

Réduisez en poudre, dans un moulin à café, 125 g de graines de pavot et mettez-les dans une casserole avec le jus d'orange. (Vous pouvez aussi passer les graines et le jus ensemble au mixeur.) Ajoutez, en remuant, les raisins secs, le sucre, le zeste d'orange et les épices ; portez à ébullition puis baissez le feu et laissez frémir doucement 15 mn. Laissez refroidir et préchauffez, pendant ce temps, le four à 200° (thermostat : 6).

Couvrez les feuilles de filo d'un linge humide pour éviter qu'elles se dessèchent. Prenez-en une, étalez-la sur un plan de travail, enduisez-la de beurre fondu, recouvrez-la d'une deuxième feuille, enduisez-la de beurre et posez dessus une troisième feuille. Coupez-les en deux bandes égales, dans le sens de la longueur puis coupez chaque bande en quatre dans le sens de la largeur ; vous obtiendrez huit rectangles de 15 × 11 cm.

Répartissez la moitié du mélange aux graines de pavot sur les huit rectangles : étalez-le à la cuillère sur toute la surface des rectangles, en laissant 2,5 cm libres à chaque lisière. Repliez le bord d'un côté long puis les bords des deux petits côtés en pressant doucement et continuez d'enrouler dans le sens de la longueur pour former une sorte de coussinet. Posez-le sur une plaque de cuisson, soudure en-dessous et faites de même avec les 7 autres rectangles. Confectionnez huit autres coussinets en vous servant du reste des feuilles de filo.

Enduisez les 16 coussinets de beurre fondu, poudrez-les avec la cuillerée de graines de pavot, réservée, enfournez et faites-les cuire 7 ou 8 mn. Servez tiède ou froid.

Gâteaux aux mandarines

Pour 6 gâteaux
Temps de préparation : 40 mn
Durée totale : 1 h

Par gâteau :
Calories **105**
Protéines **2 g**
Cholestérol **20 mg**
Total des lipides **4 g**
Acides gras saturés **1 g**
Sodium **15 mg**

4 mandarines
75 g de sucre cristallisé
2 feuilles de filo, de 45 × 30 cm
1 c. à s. d'huile de carthame
8 cl de crème pâtissière, aromatisée à l'orange (recette, p. 11)

Préchauffez le four à 220° (thermostat : 7).

Détachez, à l'aide d'un couteau économe, le zeste de deux mandarines en évitant d'entraîner la peau blanche. Détaillez-le en fine julienne. Faites chauffer le sucre avec 12,5 cl d'eau dans une casserole, sur feu doux, en remuant, jusqu'à ce qu'il soit dissous puis portez à ébullition sans remuer. Ajoutez le zeste et laissez frémir doucement pendant 20 mn. Retirez le zeste à l'écumoire et laissez-le égoutter dans une passoire posée sur un bol.

Enduisez légèrement d'huile deux plaques de cuisson et étalez les feuilles de filo sur un plan de travail. En vous servant d'un emporte-pièce simple de 9 cm, découpez dans chacune 12 rondelles, enduisez-les légèrement d'huile et empilez-les, deux par deux, côté huilé au-dessus, sur les plaques de cuisson. Enfournez et faites cuire 4 ou 5 mn, jusqu'à ce qu'elles soient bien dorées et croustillantes. Transférez-les délicatement sans les séparer sur une grille et laissez-les refroidir.

Pelez les mandarines, divisez-les en quartiers, retirez les pépins et le plus possible des membranes. Disposez 5 ou 6 quartiers sur six des bases de filo, couvrez d'une cuillerée à soupe de crème pâtissière et posez dessus une autre double-rondelle de filo. Décorez avec le zeste d'agrume confit et servez.

Tartelettes aux cerises

Pour 12 tartelettes
Temps de préparation : 45 mn
Durée totale : 1 h 10

Par tartelette :
Calories **100**
Protéines **5 g**
Cholestérol **20 mg**
Total des lipides **3 g**
Acides gras saturés **1 g**
Sodium **110 mg**

4 feuilles de filo, de 45 × 30 cm
15 g de beurre, fondu
Garniture épicée au fromage
250 g de fromage blanc maigre
15 cl de yaourt maigre nature
1 œuf
1 c. à s. de miel liquide
1 c. à c. d'essence de vanille
1/2 c. à c. de cannelle, moulue
Garniture de cerises
350 g de cerises
1 c. à s. de confiture de cerises
1/2 c. à c. de maïzéna

Préchauffez le four à 190° (thermostat : 5).

Découpez et retirez une bande de 5 cm le long d'un des petits côtés de chaque feuille de filo, puis coupez chaque feuille en douze carrés de 10 cm de côté. Couvrez les carrés d'un linge humide et retirez-les au fur et à mesure des besoins. Enduisez de beurre fondu 12 moules ronds de 7,5 cm, foncez-les de 3 carrés de filo superposés en pliant les bords et enduisez légèrement la surface de beurre fondu. Mettez-les au four et faites cuire 3 mn.

Préparez, pendant ce temps, la garniture au fromage : mettez, dans un grand bol, le fromage blanc, le yaourt, l'œuf, le miel, la vanille et la cannelle. Battez bien à l'aide d'une cuillère en bois. Répartissez la garniture dans les fonds de tartelette, en étalant bien avec le dos d'une cuillère à café. Enfournez à nouveau et faites cuire 8 à 10 mn jusqu'à ce que la garniture soit bien prise. Retirez du four et laissez refroidir dans les moules pendant que vous préparez la garniture aux cerises.

Dénoyautez les cerises et coupez-les en deux. Faites un glaçage en mélangeant la confiture de cerises avec 3 cuillerées à soupe d'eau, dans une petite casserole sur feu doux. Délayez la maïzéna dans une cuillerée à soupe d'eau pour avoir une pâte lisse, ajoutez-la à la confiture, portez à ébullition et faites cuire 2 mn, en remuant, jusqu'à ce que le mélange soit épais et limpide. Disposez les demi-cerises sur le mélange au fromage et enduisez au pinceau de glaçage à la cerise.

Laissez reposer pendant quelques minutes avant de démouler et de servir.

Triangles aux cerises

Pour 12 triangles
Temps de préparation : 40 mn
Durée totale : 1 h 20

Par triangle :
Calories **90**
Protéines **2 g**
Cholestérol **0 mg**
Total des lipides **6 g**
Acides gras saturés **traces**
Sodium **25 mg**

125 g de fromage blanc
15 g de sucre semoule
1 c. à s. de kirsch
500 g de cerises
8 feuilles de filo, de 45 × 30 cm
3 c. à c. d'huile de carthame
sucre glace, pour décorer

Préparez, pour commencer, la garniture : mettez dans un grand bol le fromage blanc, le sucre semoule et le kirsch. Réservez 12 cerises pour décorer et dénoyautez les autres, coupez-les en morceaux et incorporez-les délicatement dans le mélange au fromage et au kirsch.

Préchauffez le four à 200° (thermostat : 6). Couvrez les feuilles de filo d'un linge humide, pour les empêcher de sécher, et retirez-les au fur et à mesure de vos besoins. Étalez une feuille de filo sur le plan de travail, enduisez-la légèrement d'huile, couvrez-la d'une deuxième feuille et coupez-les dans le sens de la longueur en trois bandes de 10 cm de large. Posez une cuillerée à soupe de garniture à une extrémité de chaque bande, repliez un coin par-dessus pour former un triangle ; repliez le triangle farci et continuez jusqu'à l'autre extrémité de la bande. Posez le triangle terminé, soudure au-dessous, sur une plaque de cuisson légèrement huilée. Recommencez l'opération sur les deux autres bandes puis sur le reste des feuilles de filo : vous aurez 12 triangles en tout.

Enduisez-les au pinceau avec le reste de l'huile, enfournez et faites-les cuire 9 ou 10 mn jusqu'à ce qu'ils soient dorés et croustillants. Transférez-les sur une grille et laissez-les refroidir.

Avant de servir, coupez en deux et dénoyautez les cerises qui restent. Tamisez du sucre glace sur les triangles et servez-les décorés des cerises.

Cigares aux fruits

Pour 24 cigares
Temps de préparation : 25 mn
Durée totale : 9 h 45
(temps de macération et de refroidissement inclus)

Par cigare :
Calories **35**
Protéines **traces**
Cholestérol **0 mg**
Total des lipides **2 g**
Acides gras saturés **0 g**
Sodium **15 mg**

175 g de fruits séchés (pêches, poires, pommes en rondelles, abricots), finement hachés

2 c. à c. de coriandre, moulue

1/2 c. à s. d'huile de carthame

2 feuilles de filo, de 45 × 30 cm

2 c. à s. de sucre glace

Mettez les fruits séchés dans une petite casserole en matériau inerte, versez dessus 17,5 cl d'eau bouillante, couvrez et laissez macérer pendant 8 heures ou, mieux, toute une nuit.

Quand les fruits sont gonflés, mettez la casserole sur feu doux et laissez frémir, à découvert, jusqu'à ce qu'ils soient tendres et que l'eau se soit évaporée. Retirez du feu ; ajoutez, en remuant, la coriandre.

Préchauffez le four à 180° (thermostat : 4) et huilez légèrement une grande plaque de cuisson. Étalez les 2 feuilles de filo l'une sur l'autre et coupez-les en 4 bandes égales, dans le sens de la longueur, avant de recouper chaque bande en 3, dans le sens de la largeur, ce qui vous donnera un total de 24 rectangles de 15 × 7,5 cm. Empilez-les. Enduisez légèrement d'huile le rectangle du dessus et posez une cuillerée à café de fruits le long d'un des petits côtés, roulez de manière à former un cigare et posez-le, soudure au-dessous, sur la plaque de cuisson. Enduisez d'huile le deuxième rectangle et recommencez l'opération jusqu'à ce que vous ayez utilisé toute la garniture et farci tous les rectangles de filo.

Enfournez les cigares et faites-les cuire 15 à 25 mn, jusqu'à ce qu'ils soient dorés et croustillants ; transférez-les sur une grille et laissez-les refroidir. Tamisez dessus le sucre glace, avant de servir.

Fleurs de filo au chocolat et aux fruits

Pour 4 fleurs
Temps de préparation : 35 mn
Durée totale : 50 mn

Par fleur :
Calories **155**
Protéines **4 g**
Cholestérol **10 mg**
Total des lipides **9 g**
Acides gras saturés **4 g**
Sodium **35 mg**

4 feuilles de filo, de 45 × 30 cm
15 g de beurre, fondu
45 g de chocolat à croquer
125 g de fromage blanc
4 fraises, équeutées et coupées en tranches
10 grains de raisin blanc, coupés en deux et épépinés

Préchauffez le four à 190° (thermostat : 5).

Coupez chaque feuille de filo en deux, dans la longueur, puis en quatre, dans la largeur, pour avoir 32 rectangles de 15 × 11 cm. Couvrez-les d'un linge humide et sortez-les au fur et à mesure.

Enduisez de beurre fondu quatre moules à tartelettes, peu profonds, de 10 cm de diamètre. Foncez-en un avec quatre rectangles de filo disposés sous des angles différents ; enduisez légèrement de beurre fondu, puis disposez 4 autres feuilles de filo par dessus, sous des angles encore différents des précédents. Procédez de même avec les autres moules et enduisez légèrement de beurre fondu la feuille qui se trouve sur le dessus.

Enfournez et faites cuire 6 à 8 mn ; laissez refroidir les fleurs sans les démouler.

Faites fondre le chocolat dans un bol posé au-dessus d'une casserole d'eau chaude, mais non bouillante. En vous servant d'un pinceau fin, étalez à l'intérieur des fonds de tarte la moitié du chocolat.

Mélangez, dans un bol, le fromage blanc et le reste du chocolat ; répartissez ce mélange dans les quatre fonds de tarte et disposez dessus les tranches de fraises et les demi-raisins, pour figurer des pétales. Démoulez délicatement et servez aussitôt.

Nids de kadaïf à la crème de fleur d'oranger

LE KADAÏF, UTILISÉ DANS LES PÂTISSERIES GRECQUES, SE PRÉSENTE COMME DES VERMICELLES DE PÂTE VENDUS DANS LES BOUTIQUES SPÉCIALISÉES. À DÉFAUT DE KADAÏF, ON PEUT UTILISER DES FEUILLES DE FILO.

Pour 16 nids
Temps de préparation : 1 h
Durée totale : 2 h (temps de macération inclus)

Par nid :
Calories **70**
Protéines **3 g**
Cholestérol **20 mg**
Total des lipides **2 g**
Acides gras saturés **1 g**
Sodium **15 mg**

250 g de pâte de kadaïf, à température ambiante
20 g de beurre, fondu
75 g d'abricots secs dont 60 g trempés dans l'eau 30 mn (eau de trempage réservée) et le reste coupé en dés
1 bâton de cannelle
1 lanière de 2,5 cm de zeste de citron
2 c. à s. de jus de citron, fraîchement pressé
1 c. à s. de miel liquide
60 g de yaourt grec, épais
1/2 c. à c. de cannelle, moulue

Crème à la fleur d'oranger

2 c. à c. de maïzéna
15 cl de lait écrémé
1 jaune d'œuf
2 c. à c. de miel liquide
1 c. à c. d'essence de vanille
1 c. à c. d'eau de fleur d'oranger
1/2 c. à c. de zeste d'orange, finement râpé
1 c. à s. de gélatine en poudre

Préchauffez le four à 190° (thermostat : 5). Pétrissez le kadaïf dans son emballage pour assouplir et décoller les filaments. Retirez du paquet la quantité requise et frottez-la avec les doigts pour l'assouplir. Divisez-la en 16 portions égales ; mettez-en une dans un moule rond de 5 cm, en pressant bien, en particulier au centre et sur les côtés, pour faire un nid et enduisez-le de beurre fondu ; faites de même avec 15 autres moules. Enfournez les nids et faites-les cuire 20 mn, jusqu'à ce qu'ils soient bien dorés. Retournez-les sur une grille et laissez refroidir.

Mettez les abricots trempés et l'eau de trempage dans une casserole ; ajoutez le bâton de cannelle, le miel, le zeste et le jus de citron, portez à ébullition, puis baissez le feu et laissez frémir 20 mn jusqu'à ce que les abricots soient tendres ; ajoutez de l'eau si besoin est. Transférez les abricots sur une assiette et laissez-les refroidir. Filtrez le liquide puis remettez-le dans la casserole et faites-le bouillir jusqu'à ce qu'il n'en reste plus que 4 cuillerées à soupe ; réservez pour le glaçage.

Pour préparer la crème, délayez la maïzéna dans une cuillerée à soupe de lait. Battez le jaune d'œuf avec le miel et mélangez à la maïzéna. Faites chauffer le reste du lait dans une casserole jusqu'à ce qu'il atteigne presque son point d'ébullition puis versez-le, en fouettant, dans le mélange à l'œuf. Remettez le tout dans la casserole et laissez frémir doucement, en remuant constamment, jusqu'à ce qu'il ait épaissi. Passez-le dans un tamis fin puis incorporez en fouettant l'essence de vanille, l'eau de fleur d'oranger et le zeste d'orange. Saupoudrez de gélatine 2 cuillerées à soupe d'eau dans un petit bol et laissez reposer 2 mn. Posez le bol au-dessus d'une casserole d'eau frémissante en remuant jusqu'à ce que la gélatine soit dissoute. Ajoutez-la à la crème en fouettant vigoureusement. Réservez et laissez refroidir, après avoir couvert la surface de la crème, pour éviter la formation d'une peau.

Coupez en dés les abricots cuits, fouettez la crème refroidie et incorporez-y les abricots et le yaourt. Transférez à la cuillère un peu de cette garniture dans le creux de chaque nid ; en vous servant d'un pinceau trempé dans le sirop réservé, arrosez légèrement le pourtour du nid et décorez avec de l'abricot sec coupé en dés et une pincée de cannelle. Servez glacé ou à température ambiante.

Gâteaux de potiron aux pistaches

Pour 6 gâteaux
Temps de préparation : 45 mn
Durée totale : 1 h 45

Par gâteau :
Calories **175**
Protéines **4 g**
Cholestérol **20 mg**
Total des lipides **10 g**
Acides gras saturés **3 g**
Sodium **135 mg**

1 tranche de potiron de 500 g
45 g de pistaches, décortiquées
1 c. à s. de miel liquide
2 c. à s. de sirop de gingembre, prélevé dans un pot de gingembre au sirop
2 c. à s. de jus de citron, fraîchement pressé
1 c. à c. de cannelle, moulue
1/2 c. à c. de noix muscade, râpée
200 g de yaourt grec, épais
1 blanc d'œuf
1/4 de c. à c. de sel
6 feuilles de filo, de 45 × 30 cm
30 g de beurre, fondu
1 c. à s. de sucre roux
2 c. à c. de sucre glace

Mettez la tranche de potiron, côté peau en-dessous, dans un panier posé au-dessus d'une casserole d'eau bouillante pendant 20 à 30 mn, jusqu'à ce qu'elle soit tendre. Faites blanchir, entre-temps, les pistaches dans de l'eau bouillante pendant 1 mn, égouttez-les bien puis frottez-les vigoureusement dans une serviette pour les monder. Hachez-les.

Pelez le potiron, hachez-le grossièrement et réduisez-le en purée, au mixeur, avec le miel, le sirop de gingembre, le jus de citron, la cannelle et la noix muscade. Transférez la purée dans un grand bol ; réservez une cuillerée à soupe de yaourt pour décorer et mélangez bien le reste à la purée. Battez en neige légère, dans un bol, le blanc d'œuf avec le sel, incorporez-le délicatement dans la purée de potiron et mettez au réfrigérateur.

Préchauffez le four à 180° (thermostat : 4). Étalez une feuille de filo sur un plan de travail et gardez les autres empilées sous un linge humide. Pliez la feuille en deux dans le sens de la largeur pour faire un rectangle de 20 × 22,5 cm. Enduisez-le légèrement du beurre fondu, parsemez d'un sixième des pistaches le bord d'un des longs côtés du rectangle, en laissant nus 2,5 cm à chaque extrémité. Saupoudrez les pistaches de sucre. Repliez le bord du côté long pardessus les pistaches et pliez les bords de la pâte sur 1 cm, le long des petits côtés, en pressant bien pour le faire adhérer. Roulez en enfermant les pistaches, mais en laissant libre, pour finir, une bande de 4 cm de filo. Formez un anneau en laissant la bande non roulée à l'intérieur, de manière que le rouleau farci de pistaches forme un petit bourrelet ; faites-en chevaucher les extrémités, enduisez les faces intérieures de beurre fondu pour les faire adhérer. Pour former la base du gâteau, soulevez-le et pliez en aplatissant bien la feuille non roulée vers le centre ; enduisez de beurre au pinceau les plis, reposez le fond de gâteau sur une surface plane et pressez fermement tous les plis et les soudures. Faites de même avec les cinq autres feuilles de filo.

Disposez les fonds de gâteaux sur une plaque de cuisson légèrement beurrée, enfournez et faites cuire 20 mn. Retournez-les délicatement sur une grille et laissez-les refroidir.

Peu de temps avant de servir, tamisez un peu de sucre glace sur chaque anneau et remplissez à la cuillère le fond de purée de potiron. Battez le yaourt réservé et décorez-en le centre des gâteaux.

NOTE : *le miel peut remplacer le sirop de gingembre.*

Étoiles aux amandes et aux kakis

Pour 12 étoiles
Temps de préparation : 30 mn
Durée totale : 1 h 10

Par étoile :
Calories **60**
Protéines **1 g**
Cholestérol **0 mg**
Total des lipides **5 g**
Acides gras saturés **1 g**
Sodium **35 mg**

1 feuille de filo, de 45 × 30 cm
30 g de margarine polyinsaturée, fondue
2 kakis
3 c. à s. d'amandes, moulues
2 c. à s. de macarons durs, pilés (amaretti)
1 blanc d'œuf

Graissez et farinez légèrement douze moules à tartelettes, de 7,5 cm, peu profonds. Préchauffez le four à 200° (thermostat : 6). Étalez la feuille de filo sur un plan de travail, enduisez-la de margarine fondue et coupez-la en 24 carrés de 7,5 cm. Chemisez chaque moule de deux carrés de filo en les croisant de manière à former une étoile à huit branches.

Préparez la garniture : pelez et hachez un des kakis et réduisez-le en purée au mixeur. Transférez-la dans un grand bol et ajoutez, en remuant, les amandes et les macarons. Battez, dans un autre bol, le blanc d'œuf en neige ferme et enveloppez-le délicatement dans le mélange au kaki.

Répartissez la garniture dans les douze étoiles, enfournez-les et faites-les dorer pendant 15 à 20 mn. Laissez-les refroidir pendant quelques minutes avant de les démouler sur une grille, où vous les laisserez refroidir complètement.

Pelez et émincez le kaki qui reste et servez-vous-en pour décorer les étoiles. Servez-les dans la journée, alors qu'elles sont encore croustillantes.

NOTE : *si vous ne disposez pas de macarons durs, vous pouvez les remplacer par des macarons ordinaires ou par d'autres biscuits sucrés.*

Carrés de filo aux fruits

Pour 10 carrés
Temps de préparation : 30 mn
Durée totale : 1 h 25

Par carré :
Calories **135**
Protéines **6 g**
Cholestérol **traces**
Total des lipides **3 g**
Acides gras saturés **2 g**
Sodium **25 mg**

30 g de beurre, fondu
1 grosse orange
90 g de raisins de Corinthe
90 g de raisins de Smyrne
1 grosse pomme à cuire, pelée et râpée
10 feuilles de filo, de 45 × 30 cm
3 c. à c. de miel liquide
1 c. à s. d'amandes, effilées
1 c. à s. de sucre semoule
2 c. à c. d'eau de fleur d'oranger

Préchauffez le four à 190° (thermostat : 5) et enduisez de beurre fondu un moule de 28 × 18 × 4 cm.

Râpez 2 cuillerées à café de zeste d'orange et mettez-les dans un bol. Épluchez l'orange à vif et détaillez-la en quartiers *(encadré, p. 41).* Hachez-les et ajoutez-les dans le bol contenant le zeste avec les raisins secs et la pomme. Mélangez bien.

Gardez les feuilles de filo couvertes d'un linge humide et retirez-les au fur et à mesure de vos besoins. Étalez-en une sur le moule beurré de manière qu'elle déborde sur les 4 côtés. Enduisez-la très légèrement de beurre fondu et posez dessus une autre feuille de filo ; enduisez cette dernière de beurre et recouvrez-la d'une troisième feuille. Répandez dessus un tiers du mélange de fruits et arrosez d'une cuillerée à café de miel. Retournez les quatre bords qui dépassent sur la garniture, l'un après l'autre et enduisez-les de beurre. Répétez l'opération pour poser encore deux couches de filo et de garniture. Couvrez le dessus de la dernière feuille de filo en prenant soin de replier à l'intérieur les quatre côtés. Enduisez-la de beurre et rayez-la avec la pointe d'un couteau de manière à dessiner un croisillon sur toute la surface. Parsemez des amandes.

Enfournez et faites cuire 25 à 30 mn jusqu'à ce que le gâteau soit bien doré. Juste avant la fin de la cuisson : faites chauffer, dans une petite casserole, le sucre et l'eau de fleur d'oranger avec 2 cuillerées à soupe d'eau. Mélangez doucement jusqu'à ce que le sucre soit dissous puis faites bouillir pendant 1 mn.

Retirez le gâteau du four et arrosez-le uniformément de sirop. Laissez-le refroidir complètement avant de le couper en carrés et de le servir.

2

Les coquilles de meringue aux noisettes attendent la longue cuisson qui les rendra croquantes et fondantes (recette, p. 87)

Créations aériennes

Génoises légères, meringues aériennes et gâteaux levés ont tous en commun un ingrédient essentiel : l'air, auquel ils doivent leur extrême légèreté.

La génoise, contenant très peu de beurre, de la page 11 constitue la base d'un grand nombre de gâteaux des pages 66 à 80. L'air, enfermé dans les œufs que l'on a battus avec du sucre, se dilate à la cuisson et fait monter le mélange de farine et de beurre. Pour enfermer le plus possible d'air en ajoutant le beurre et la farine, coupez et enveloppez-les doucement avec une grande cuillère ou une spatule en métal dans les œufs battus, au lieu de remuer le mélange. Le beurre fondu doit être aussi froid que possible faute de quoi sa chaleur risque de défaire les bulles d'air. Vous pouvez conserver les chutes de génoise et vous en servir ultérieurement pour faire d'autres pâtisseries.

Les meringues ne sont rien d'autre qu'un mélange de blancs d'œufs, de sucre et d'air. Quand on les bat vigoureusement, les blancs d'œufs emprisonnent des myriades de bulles d'air. En y ajoutant du sucre, on renforce la structure du mélange qui devient assez ferme pour être débité à l'aide d'une poche à douille. Avant d'ajouter le sucre, il faut que les blancs soient battus en neige assez ferme pour former un monticule rigide. Vous devez donc ajouter le sucre par petites quantités successives, en fouettant énergiquement après chaque addition, pour retrouver la même fermeté. Les blancs d'œufs et le sucre battus au-dessus d'une casserole d'eau chaude produiront une meringue plus dense qui convient particulièrement à la réalisation de nids ou autres coffrets.

Quel que soit le mode de préparation, la meringue exige une cuisson longue et lente pour qu'elle reste parfaitement blanche et devienne croustillante. Certains fours s'avèrent trop chauds, même en respectant les températures recommandées. Dans le doute, réglez-les à la température la plus basse, quitte à les faire cuire plus longtemps.

Les gâteaux à la levure, riches en vitamines B, gonflent naturellement. La levure fraîche est un organisme vivant qui dégage du gaz carbonique quand elle est mélangée avec un liquide, de la farine et du sucre. Le gaz emprisonné dans le gluten quand la pâte est pétrie fait lever le mélange jusqu'à tripler son volume initial. Une chaleur modérée accélère ce processus, mais une chaleur excessive tuerait la levure ; la température de la cuisine est idéale. Si vous voulez réaliser une pâte plus ferme, il faut la mettre au réfrigérateur pendant 5 h pour lui permettre de lever extrêmement lentement.

Génoises à l'ananas

Pour 12 génoises
Temps de préparation : 55 mn
Durée totale : 1 h 30

Par génoise :
Calories **60**
Protéines **1 g**
Cholestérol **25 mg**
Total des lipides **2 g**
Acides gras saturés **1 g**
Sodium **10 mg**

300 g d'ananas frais, finement haché
sucre glace, pour décorer

Génoise

les graines de 2 capsules de cardamome
1 œuf
1 blanc d'œuf
45 g de sucre semoule
60 g de farine ordinaire
15 g de beurre, fondu et refroidi

Préchauffez le four à 180° (thermostat : 4) et chemisez de papier sulfurisé deux plaques de cuisson.

Préparez la génoise : faites griller les graines de cardamome dans une poêle antiadhésive, puis broyez-les très finement. En appliquant la méthode indiquée page 11, confectionnez la pâte à génoise avec les ingrédients cités ci-dessus, en ajoutant la cardamome à la farine. En vous servant d'une spatule en caoutchouc, étalez la pâte en 12 rondelles de 6 cm de diamètre, en vous assurant que les bords ne sont pas plus minces que le centre. Enfournez et faites cuire jusqu'à ce que les génoises soient fermes et très légèrement colorées. Posez les rondelles, sitôt sorties du four, sur une grille et laissez-les refroidir complètement.

Divisez l'ananas haché en 12 portions égales. Juste avant de servir, déposez-en une portion sur la moitié de chaque rondelle de génoise et couvrez de l'autre moitié. Tamisez sur le dessus du sucre glace ; faites chauffer à la flamme une longue brochette en métal (en vous protégeant la main à l'aide d'un gant isolant) et dessinez un motif en croisillons sur chaque génoise en appliquant rapidement sur le sucre glace la brochette rougie. Refaites chauffer la brochette autant de fois qu'il sera nécessaire.

Génoises aux fruits

Pour 8 génoises
Temps de préparation : 1 h
Durée totale : 1 h 10

Par génoise :
Calories **200**
Protéines **7 g**
Cholestérol **115 mg**
Total des lipides **6 g**
Acides gras saturés **2 g**
Sodium **35 mg**

2 œufs
1 blanc d'œuf
90 g de sucre semoule
90 g de farine ordinaire
1 c. à s. de poudre de cacao
1 c. à s. de sucre glace

Garniture aux fruits et aux amandes

250 g de cerises, 8 réservées entières pour décorer, les autres dénoyautées et hachées
2 nectarines, blanchies 30 secondes dans l'eau bouillante, pelées, dénoyautées et hachées
30 cl de crème pâtissière (recette, p. 11), dans laquelle l'extrait de vanille est remplacé par 1/2 c. à c. d'essence d'amandes

Préchauffez le four à 180° (thermostat : 4) et chemisez de papier sulfurisé trois plaques de cuisson. Tracez au crayon, en les espaçant régulièrement, huit cercles de 7,5 cm sur chacune des 3 feuilles, puis retournez-les, dessin dessous.

Mettez dans un grand bol les œufs, le blanc d'œuf et le sucre semoule ; posez-le au-dessus d'une casserole d'eau chaude, sur feu doux. Battez ensemble les œufs et le sucre au batteur électrique pour avoir un mélange épais et très pâle. Ôtez le bol et continuez de battre jusqu'à ce que le mélange soit refroidi et fasse le ruban quand on soulève le fouet. Versez-en la moitié dans un autre bol. Tamisez, sur le premier bol, la moitié plus une cuillerée à soupe de la farine et incorporez-la délicatement ; incorporez le reste de la farine et le cacao dans l'autre bol.

Transférez chacune des pâtes dans une poche à douille simple de 5 mm. Dressez douze anneaux, avec le mélange au cacao, en suivant les contours des cercles dessinés sur le papier et laissez-en tomber une goutte au milieu de chacun ; remplissez ensuite les vides des anneaux de mélange non chocolaté. Dressez douze anneaux avec le mélange sans cacao sur les 12 cercles qui restent, laissez-en tomber une goutte au centre et remplissez les vides de mélange chocolaté.

Enfournez et faites cuire 5 mn jusqu'à ce que les rondelles soient fermes et légèrement colorées. Laissez-les refroidir 2 mn sur le papier, puis détachez-les avec une spatule en métal et transférez-les sur une grille, où elles refroidiront complètement.

Mélangez les cerises et les nectarines hachées et procédez à l'assemblage des génoises. Étalez une couche de crème pâtissière sur une rondelle, étalez dessus un peu du mélange de fruits hachés, recouvrez d'une deuxième rondelle puis d'une nouvelle couche de crème pâtissière et de fruits et, pour finir d'une troisième rondelle. Faites de même avec les autres rondelles pour avoir 8 génoises fourrées.

Tamisez un peu de sucre glace sur chacune, posez une cerise entière au milieu et servez.

Cornets de crème aux fruits

Pour 30 cornets
Temps de préparation : 50 mn
Durée totale : 1 h 20

Par cornet :
Calories **50**
Protéines **1 g**
Cholestérol **15 mg**
Total des lipides **2 g**
Acides gras saturés **1 g**
Sodium **15 mg**

2 blancs d'œufs
60 g de sucre semoule
60 g de farine ordinaire
60 g de beurre, fondu et refroidi
60 g de mélange de zestes confits d'agrumes, hachés
30 cl de crème pâtissière (recette, p. 11)

Préchauffez le four à 190° (thermostat : 5) et chemisez de papier sulfurisé deux plaques de cuisson.

Préparez les cornets : fouettez, tout d'abord, dans une jatte, les blancs d'œufs en mousse légère, répandez le sucre à la surface et fouettez pendant 2 ou 3 mn pour que le mélange soit épais et luisant ; tamisez dessus la farine et incorporez-la délicatement en même temps que le beurre fondu. Laissez tomber 2 ou 3 cuillerées à café de ce mélange, en les espaçant bien, sur une des plaques de cuisson ; étalez-les, avec le dos de la cuillère, en cercles de 6 à 7,5 cm de diamètre. Enfournez et faites cuire pendant 5 mn ou jusqu'à ce que les bords soient légèrement dorés. Confectionnez, pendant ce temps, 2 ou 3 rondelles semblables sur l'autre plaque.

Retirez du four les cercles cuits et enfournez la deuxième plaque de cuisson. Retirez rapidement, l'une après l'aure, les rondelles cuites à l'aide d'une spatule en métal et enroulez-les autour d'un moule conique en métal ; laissez-les se raffermir autour de la forme. S'ils commencent à durcir avant de prendre la forme, remettez-les au four pour les assouplir pendant 1 mn. Transférez les cornets sur une grille où ils finiront de refroidir. Recommencez l'opération avec le reste de la pâte pour fabriquer 30 cornets. Incorporez les trois quarts des écorces confites dans la crème et répartissez-la dans les cornets. Décorez avec le reste des écorces et servez.

Corbeilles au citron vert

Pour 8 corbeilles
Temps de préparation : 40 mn
Durée totale : 1 h

Par corbeille :
Calories **170**
Protéines **3 g**
Cholestérol **65 mg**
Total des lipides **5 g**
Acides gras saturés **2 g**
Sodium **35 mg**

2 blancs d'œufs
45 g de sucre glace, tamisé
30 g de riz moulu
30 g de maïzéna
30 g de farine ordinaire, tamisée
30 g de beurre, fondu
1/2 c. à c. d'extrait de vanille

Garniture au citron vert

2 citrons verts
2 jaunes d'œufs
90 g de sucre semoule
2 c. à c. de gélatine en poudre
3 blancs d'œufs
2 c. à s. de fromage blanc
125 g de fraises, équeutées et coupées en tranches

Préchauffez le four à 220° (thermostat : 7) et chemisez de papier sulfurisé une plaque de cuisson. Dessinez 4 cercles de 10 cm de diamètre sur le papier et retournez-le, dessin en dessous.

Battez les blancs d'œufs en mousse légère dans un bol propre, sans aucune trace de graisse. Ajoutez le sucre, fouettez pour bien mélanger, puis ajoutez, dans l'ordre, le riz moulu, la maïzéna et la farine puis le beurre fondu et la vanille, en fouettant toujours jusqu'à ce que tous les ingrédients soient parfaitement incorporés. Laissez épaissir le mélange pendant quelques minutes avant de le transférer dans un cornet de papier sulfurisé en double épaisseur *(encadré, p. 13).*

Coupez la pointe du cornet de façon à aménager un orifice de 3 mm. Dressez une série de rubans parallèles, à 1 cm les uns des autres, à l'intérieur d'un des cercles dessinés, puis dressez une deuxième série de rubans, perpendiculaires aux premiers, de manière à former un croisillon ; dressez, pour finir, un rebord festonné tout autour du cercle reliant les extrémités des rubans. Faites de la même façon trois autres cercles.

Enfournez les quatre cercles apprêtés et faites-les cuire 2 mn jusqu'à ce qu'ils soient fermes mais encore pâles ; détachez-les à l'aide d'une spatule en métal et remettez-les au four 1 ou 2 mn jusqu'à ce qu'ils soient légèrement dorés sur les bords.

Tenez prêt un petit bol tiède qui servira à mouler les rondelles en corbeilles. Soulevez-les, l'une après l'autre et appliquez-les en pressant légèrement dans le bol. Si les rondelles commencent à durcir avant d'être moulées, remettez-les au four pendant quelques secondes. Laissez-les refroidir sur une grille et confectionnez de la même façon quatre autres corbeilles avec le reste de la pâte.

Préparez la garniture : coupez trois lanières de zeste, de 1 cm de largeur, sur un des citrons verts et débitez-les en filaments aussi fins qu'une aiguille. Faites-les blanchir 3 mn dans un peu d'eau bouillante. Laissez-les égoutter et réservez-les.

Pressez les citrons pour en extraire le jus, râpez ce qui reste des zestes. Battez les jaunes d'œufs avec le sucre puis incorporez le jus et le zeste râpé des citrons. Saupoudrez de gélatine 2 cuillerées à soupe d'eau mises dans un petit bol et laissez-la ramollir pendant 2 mn. Posez ensuite le bol au-dessus d'une casserole d'eau frémissante et remuez jusqu'à ce que la gélatine soit dissoute. Ajoutez, en fouettant, ce liquide au mélange aux œufs et laissez reposer 15 mn, à température ambiante.

Battez les blancs d'œufs en neige ferme, sans être séche. Ajoutez, en fouettant, le fromage blanc au mélange à la gélatine, incorporez ensuite les blancs d'œufs. Laissez reposer pendant 15 à 20 mn.

Disposez les corbeilles sur des assiettes et remplissez-les de garniture. Décorez avec les fraises et les filaments réservés de zeste.

Galettes aux myrtilles

Pour 10 galettes
Temps de préparation : 1 h
Durée totale : 1 h 30

Par galette :
Calories **115**
Protéines **3 g**
Cholestérol **10 mg**
Total des lipides **5 g**
Acides gras saturés **3 g**
Sodium **20 mg**

2 blancs d'œufs
60 g de sucre glace, tamisé
30 g de flocons d'avoine
30 g de farine ordinaire, tamisée
30 g de beurre, fondu
30 myrtilles fraîches, triées et équeutées, pour décorer
30 petits pétales, découpés dans de minces lanières de zeste d'orange, pour décorer

Garniture de crème aux myrtilles

200 g de fromage blanc
1 c. à s. de sucre glace, tamisé
1 c. à c. de zeste d'orange, finement râpé
300 g de myrtilles fraîches, triées et équeutées

Préchauffez le four à 200° (thermostat : 6) et chemisez de papier sulfurisé deux plaques de cuisson. Dessinez au crayon, sur chaque feuille de papier, six cercles de 7,5 cm de diamètre, en les espaçant largement, et retournez les papiers pour que les cercles soient dessous. Battez les blancs d'œufs, jusqu'à ce qu'ils soient bien blancs et mousseux. Ajoutez 45 g de sucre glace, battez jusqu'à ce qu'il soit dissous et continuez de battre en ajoutant, dans l'ordre, les flocons d'avoine, la farine puis le beurre. Déposez une cuillerée à café de cette pâte au milieu de chaque cercle et étalez-la, à l'aide d'une spatule en métal, de façon à en recouvrir la surface.

Enfournez et faites cuire les rondelles pendant 3 ou 4 mn, jusqu'à ce que les bords soient dorés. Laissez reposer sur le papier pendant 30 secondes puis transférez-les sur une grille et laissez-les refroidir. Recommencez l'opération, en réutilisant le même papier sulfurisé pour chaque fournée jusqu'à ce que vous ayez épuisé toute la pâte. Vous aurez confectionné en tout 30 rondelles.

Pour faire la garniture, mélangez le fromage blanc, le sucre glace et le zeste d'orange, puis incorporez délicatement les myrtilles.

Garnissez les galettes 30 mn avant de servir. Posez une rondelle sur un plan de travail, enduisez-la d'un peu de garniture, recouvrez d'une deuxième rondelle, enduisez celle-ci de garniture et recouvrez-la d'une troisième rondelle. Confectionnez ainsi les autres galettes ; tamisez du sucre glace sur le dessus et décorez de 3 myrtilles et de 3 pétales de zeste.

NOTE : *vous pouvez remplacer les myrtilles par n'importe quel fruit de saison ou par un mélange de baies d'été.*

Préchauffez le four à 190° (thermostat : 5), beurrez 12 moules ronds de 7,5 cm, poudrez-les légèrement de farine et placez-les sur des plaques de cuisson.

En vous conformant aux indications de la page 11, préparez une génoise avec les ingrédients ci-dessus. Remplissez chaque moule presque à ras bord avec la pâte, enfournez et faites cuire pendant 10 à 15 mn, jusqu'à ce qu'elle soit bien levée, légèrement dorée et souple au toucher. Démoulez délicatement les gâteaux sur une grille et laissez-les refroidir.

Mettez le sucre semoule et le kirsch dans une petite casserole en matériau inerte avec 2 cuillerées à soupe d'eau et faites chauffer à feu doux. Une fois que le sucre est dissous, faites bouillir rapidement le sirop pendant 1 mn puis retirez du feu.

Coupez chaque gâteau horizontalement en deux, disposez les 2 moitiés côte à côte, la face coupée au-dessus ; enduisez les deux faces coupées d'un peu de sirop au kirsch.

Préparez la garniture : fouettez ensemble le blanc d'œuf, le sucre, le kirsch et la crème pour en faire une crème très ferme. Transférez cette crème dans une poche à douille étoilée de 5 mm. Dressez un ruban décoratif de crème sur la partie inférieure de chaque gâteau, posez dessus la partie supérieure, tamisez dessus le sucre glace, puis dressez au centre de chacun une coquille de crème. Décorez avec les pétales de rose et de freesia givrés.

Gâteaux aux pétales givrés

Pour 12 gâteaux
Temps de préparation : 50 mn
Durée totale : 1 h 25

Par gâteau :
Calories **140**
Protéines **2 g**
Cholestérol **60 mg**
Total des lipides **8 g**
Acides gras saturés **4 g**
Sodium **25 mg**

30 g de sucre semoule
2 c. à s. de kirsch
1 c. à s. de sucre glace
12 pétales de rose givrés (encadré, ci-contre)
12 pétales de freesia givrés (encadré, ci-contre)

Génoises

2 œufs
1 blanc d'œuf
60 g de sucre semoule
90 g de farine ordinaire
15 g de beurre, fondu et refroidi

Garniture de crème au kirsch

1 blanc d'œuf
1 c. à c. de sucre semoule
1 c. à c. de kirsch
15 cl de crème double

Pétales givrés de sucre

PRÉPARER ET APPLIQUER LE REVÊTEMENT. Battez légèrement un blanc d'œuf pour qu'il s'allège sans mousser. Servez-vous-en pour enduire des pétales de violette, de primevère, de freesia ou de rose avant de les passer dans du sucre semoule. Transférez-les sur une assiette et laissez-les jusqu'à ce qu'ils soient secs et durs.

Arlequins

Pour 24 arlequins
Temps de préparation : 1 h 10
Durée totale : 2 h (temps de réfrigération inclus)

Par arlequin :
Calories **60**
Protéines **1 g**
Cholestérol **20 mg**
Total des lipides **2 g**
Acides gras saturés **1 g**
Sodium **10 mg**

3 pêches, coupées en 2 et dénoyautées
250 g de framboises fraîches
250 g de cassis frais, équeuté
3 c. à s. de sucre semoule
2 c. à s. de gélatine en poudre
6 c. à s. de fromage blanc
tranches de pêches, framboises et cassis, pour la décoration

Génoise

2 œufs
1 blanc d'œuf
90 g de sucre semoule
90 g de farine ordinaire
15 g de beurre, fondu et refroidi

Préparez la génoise avec les ingrédients ci-dessus, selon les indications données page 11 ; faites-la cuire au four pendant 15 à 20 mn seulement.

Mettez les pêches, les framboises et le cassis à cuire, séparément, dans des casseroles en matériau inerte, en ajoutant dans chacune 2 cuillerées à soupe d'eau et 1 cuillerée à soupe de sucre. Faites cuire à feu doux pendant 3 ou 4 mn, jusqu'à ce que les fruits soient tendres.

Réduisez-les en purée, séparément, au mixeur, passez chaque purée à travers un tamis et réservez.

Répandez la gélatine sur 6 cuillerées à soupe d'eau dans un bol et laissez-la ramollir pendant 2 mn. Posez le bol au-dessus d'une casserole d'eau frémissante et remuez jusqu'à ce qu'elle soit totalement dissoute. Incorporez, en fouettant, dans chacune des purées de fruits un tiers de la gélatine dissoute et 2 cuillerées à soupe de fromage blanc. Mettez les purées au réfrigérateur pendant 10 à 15 mn pour qu'elles commencent à prendre.

Chemisez, pendant ce temps, le fond du moule dans lequel vous avez cuit la génoise avec une feuille d'aluminium assez longue pour dépasser de 4 cm les bords des deux petits côtés ; cela vous permettra de retirer plus facilement le gâteau.

Remettez la génoise dans le moule et étalez dessus le mélange au cassis. Mettez au réfrigérateur pendant 5 mn pour le raffermir. Mettez par-dessus le mélange aux pêches, remettez au réfrigérateur et étalez pour finir le mélange aux framboises. Mettez au réfrigérateur pendant au moins 30 mn jusqu'à ce que les trois couches de fruits soient bien fermes.

Sortez le gâteau, coupez-le en losanges ou en carrés et décorez avec les fruits réservés.

Charlottes au cassis

Pour 12 charlottes
Temps de préparation : 1 h
Durée totale : 3 h 15

Par charlotte :
Calories **220**
Protéines **5 g**
Cholestérol **60 mg**
Total des lipides **6 g**
Acides gras saturés **3 g**
Sodium **20 mg**

250 g de cassis frais, trié, ou de cassis surgelé et dégelé
4 c. à s. de crème de cassis
250 g de fromage blanc
30 g de sucre semoule
2 1/2 c. à c. de gélatine en poudre
1 génoise (recette, p. 11)
125 g de sucre glace

Préparez, pour commencer, la mousse de la garniture : réduisez le cassis en purée au mixeur ; ajoutez la crème de cassis, le fromage blanc et le sucre semoule et remettez le mixeur en marche pendant 30 secondes pour avoir un mélange lisse. Répandez la gélatine sur 2 cuillerées à soupe d'eau dans un petit bol, laissez-la ramollir pendant 2 mn avant de poser le bol au-dessus d'une casserole d'eau frémissante ; remuez jusqu'à ce que la gélatine soit complètement dissoute. Ajoutez-la à la purée de cassis et remettez le mixeur en marche pendant 20 secondes. Réservez et préparez les moules.

Chemisez d'une rondelle de papier sulfurisé le fond de 12 moules à dariole de 70 cm^3. Graissez les parois de chaque moule avec un peu d'huile d'amande (ou d'une autre huile dépourvue de saveur).

Coupez nettement les côtés du rectangle de génoise en retirant les croûtes extérieures et coupez-le en deux horizontalement.

En vous servant d'un moule à dariole renversé, découpez 12 cercles dans l'une des demi-génoises, puis découpez 12 petites rondelles pouvant tenir dans le fond des moules. Coupez enfin la génoise qui reste en minces bâtonnets de 2,5 cm de large et assez longs pour couvrir les parois de chaque moule de la base jusqu'au bord.

Posez une petite rondelle au fond de chaque moule. Étendez au rouleau les bâtonnets et étalez-les de manière à couvrir les parois des moules ; coupez ce qui dépasse. Ne vous inquiétez pas si la pâte qui couvre les parois se fendille ; la mousse apparaissant le long des fentes sera décorative.

Remplissez les moules de mousse à ras bord, posez légèrement dessus un cercle de génoise et mettez les charlottes au réfrigérateur pendant une heure et demie, au moins.

Juste avant de servir, détachez chaque charlotte de son moule en vous servant d'un couteau, retournez-la sur une assiette et retirez le papier.

Préparez un glaçage en mélangeant le sucre glace avec 4 cuillerées à café d'eau. Étalez-le sur les charlottes, à l'aide d'une petite spatule en métal, en le laissant couler sur les côtés.

Gâteau aux poires et figues

Pour 16 parts
Temps de préparation : 2 h
Durée totale : 6 h (temps de réfrigération inclus)

Par part :
Calories **150**
Protéines **4 g**
Cholestérol **45 mg**
Total des lipides **3 g**
Acides gras saturés **1 g**
Sodium **50 mg**

1 c. à c. de jus de citron, fraîchement pressé
30 g de sucre vanillé
500 g de poires fermes, pelées, évidées et coupées dans le sens de la hauteur en tranches de 1 cm
1 génoise (recette, p. 11), cuite dans un moule de 38 × 25 cm pendant 20 à 25 mn
5 figues fraîches, pelées, coupées en 8 dans la hauteur
1 c. à s. de sucre glace, tamisé
1/2 c. à c. de poudre de cacao

Crème mousseuse

30 cl de lait écrémé
1/2 gousse de vanille, fendue
30 g de maïzéna
2 blancs d'œufs
125 g de sucre semoule
1 c. à s. de jus de citron
1 c. à s. de jus de pomme
1 c. à s. de gélatine en poudre
2 c. à c. d'extrait de vanille
2 c. à s. de marsala
90 g de yaourt grec, épais

Mettez dans une casserole le jus de citron et le sucre vanillé avec 30 cl d'eau. Portez à ébullition, puis baissez le feu, ajoutez les tranches de poires et faites-les pocher à feu très doux pendant 4 ou 5 mn. Retirez-les délicatement du liquide, laissez-les refroidir à température ambiante puis mettez-les au réfrigérateur. Passez le sirop de pochage à travers un tamis à mailles fines puis remettez-le dans la casserole et faites-le bouillir pour le réduire à 5 cuillerées à soupe. Réservez.

Préparez la crème anglaise : faites chauffer le lait avec la gousse de vanille à feu très doux. Délayez, dans un bol, la maïzéna dans 2 cuillerées à soupe de lait chauffé, puis portez presque à ébullition le reste du lait dans la casserole et versez-le, en fouettant, dans la maïzéna délayée. Remettez le tout dans la casserole, portez à ébullition, fouettez bien et laissez frémir pendant 5 mn en remuant constamment. Retirez la crème du feu, passez-la à travers un tamis et laissez-la refroidir.

Mettez, pendant ce temps, les blancs d'œufs et le sucre semoule dans un grand bol posé au-dessus d'une casserole d'eau frémissante, en évitant que le bol touche l'eau. Battez doucement jusqu'à ce que le sucre soit fondu puis battez plus vigoureusement jusqu'à obtenir un mélange épais et luisant.

Éloignez le bol de la source de chaleur et fouettez jusqu'à ce que la meringue revienne à température ambiante et soit devenue très ferme. Réservez.

Mélangez dans un petit bol les jus de citron et de pomme et saupoudrez de la gélatine. Laissez-la ramollir pendant 2 mn avant de poser le bol au-dessus d'une casserole d'eau frémissante ; remuez jusqu'à ce que la gélatine soit dissoute. Laissez-la refroidir un peu. Ajoutez, en remuant, l'extrait de vanille et le marsala dans la crème anglaise refroidie puis ajoutez, en fouettant, la gélatine dissoute. Quand le mélange est devenu épais et crémeux, incorporez le yaourt. Ajoutez, en remuant, une cuillerée à soupe de meringue puis incorporez délicatement le reste de meringue.

Enduisez le fond et les parois d'un moule de 38 × 7,5 cm, à parois détachables, d'huile d'amande ou autre huile sans saveur. Chemisez le fond avec une double épaisseur de papier sulfurisé. Coupez deux bandes de génoise s'adaptant exactement aux dimensions du moule. Posez dedans une bande en pressant doucement et enduisez-la au pinceau d'un peu de sirop de pochage réservé ; disposez dessus, en une seule couche, les tranches de poires et étalez à la surface la moitié de la crème mousseuse. Mettez au réfrigérateur pendant 20 mn ; disposez sur la crème les tranches de figues et recouvrez-les avec le reste de crème. Enduisez de sirop de pochage, au pinceau, une face de la seconde bande de génoise et posez-la, côté enduit au-dessous, à la surface de la crème. Couvrez le gâteau d'une pellicule plastique en pressant légèrement. Mettez au réfrigérateur 3 ou 4 heures, jusqu'à ce que la crème soit prise.

Saupoudrez légèrement de sucre glace la surface de la génoise. Couvrez le bord de chacun des longs côtés d'une bande de papier sulfurisé et saupoudrez la partie centrale exposée de poudre de cacao.

Démoulez délicatement le gâteau. Coupez-le en tranches et servez glacé.

Gâteau passion

Pour 18 tranches
Temps de préparation : 2 h
Durée totale : 6 h (temps de réfrigération inclus)

Par tranche :
Calories **95**
Protéines **4 g**
Cholestérol **45 mg**
Total des lipides **1 g**
Acides gras saturés **traces**
Sodium **25 mg**

1 œuf
30 g de sucre semoule
30 g de farine ordinaire
2 c. à s. de confiture d'abricots
1/2 c. à s. de cognac ou de jus de pomme
1 1/2 c. à c. de gélatine en poudre
17,5 cl de jus de pomme, non sucré

Mousse aux fruits de la passion

2 œufs, blancs et jaunes séparés
140 g de sucre semoule
30 g de farine ordinaire
15 g de maïzéna
30 cl de lait écrémé
1 c. à c. d'extrait de vanille
10 fruits de la passion, coupés en deux
1 c. à s. de gélatine en poudre
1 c. à s. de jus de citron, fraîchement pressé
2 c. à s. de jus de pomme, non sucré
90 g de yaourt grec, épais

Préchauffez le four à 180° (thermostat : 4), beurrez un moule de 20 × 20 × 4 cm et chemisez soigneusement le fond de papier sulfurisé.

Préparez une génoise sans matière grasse en battant ensemble l'œuf et le sucre dans un bol posé au-dessus d'une casserole d'eau frémissante, sur feu très doux. Dès que le mélange est devenu épais et mousseux, éloignez le bol de la source de chaleur et continuez de battre jusqu'à ce que le mélange soit refroidi et fasse le ruban. Tamisez la farine sur le mélange et incorporez-la délicatement. Versez la pâte dans le moule, étalez bien, enfournez et faites cuire pendant 8 à 10 mn. Démoulez-la avec précaution sur une grille et laissez-la refroidir.

Préparez ensuite la mousse aux fruits de la passion : battez les jaunes d'œufs en crème épaisse avec 15 g de sucre et incorporez-y la farine ordinaire et la maïzéna. Faites chauffer, dans une casserole, le lait avec l'extrait de vanille jusqu'au point d'ébullition puis ajoutez-le petit à petit, en fouettant, dans les jaunes d'œufs. Versez le tout, à travers une passoire, dans la casserole et portez à ébullition en remuant. Laissez frémir pendant 5 mn, en remuant, puis transférez la crème dans un bol.

Prélevez avec une cuillère la chair et les pépins des fruits de la passion, mettez-les dans une passoire en nylon et pressez avec le dos d'une cuillère pour en extraire tout le jus. Réservez le jus et une cuillerée à café de pépins. Jetez le reste.

Mettez le jus de citron et le jus de pomme dans un petit bol et répandez dessus la gélatine. Laissez-la ramollir pendant 2 mn avant de poser le bol au-dessus d'une casserole d'eau frémissante. Remuez jusqu'à ce que la gélatine soit complètement dissoute. Faites tiédir le jus des fruits de la passion dans une casserole, ajoutez en remuant la gélatine dissoute et laissez refroidir à température ambiante.

Mettez les blancs d'œufs et le reste du sucre semoule dans un bol posé au-dessus d'une casserole d'eau frémissante, en veillant à ce que le bol ne touche pas l'eau. Battez doucement d'abord jusqu'à ce que le sucre soit fondu, puis plus vigoureusement jusqu'à ce que la meringue soit ferme et luisante. Éloignez le bol de la source de chaleur.

Ajoutez, en fouettant, les jus de fruits à la gélatine dans la crème et, quand celle-ci a bien épaissi, incorporez le yaourt. Ajoutez, en remuant, 1 cuillerée à café de meringue dans la crème puis enveloppez délicatement le reste. Laissez reposer.

Enduisez d'huile d'amande (ou d'une autre huile sans saveur) le fond et les parois d'un moule de 38 × 7,5 cm à parois détachables. Chemisez le fond d'une double épaisseur de papier sulfurisé. Taillez la génoise cuite pour l'adapter aux dimensions du moule et pressez bien pour la mettre en place.

Faites chauffer la confiture d'abricots jusqu'à ce qu'elle soit liquide, passez-la à travers un tamis et ajoutez-y, en remuant, le cognac ; étalez ce mélange sur la surface de la génoise. Versez la mousse aux fruits de la passion dans le moule et mettez-le au réfrigérateur pendant 2 heures jusqu'à ce que la mousse soit assez ferme.

Un peu avant la fin du temps de réfrigération, préparez un glaçage à la pomme. Faites dissoudre la gélatine dans 2 cuillerées à soupe de jus de pomme suivant le procédé décrit plus haut ; faites ensuite chauffer le reste du jus de pomme et ajoutez-le, en remuant, à la gélatine dissoute. Laissez refroidir, puis mettez au réfrigérateur pendant 10 à 15 mn. Ajoutez, en remuant toujours, la cuillerée de pépins de fruits de la passion ; versez doucement la gelée de pommes sur la mousse. Remettez au réfrigérateur pendant 1 à 2 heures.

Démoulez délicatement le gâteau. Coupez-le en tranches et servez glacé.

Gâteaux espresso

Pour 8 gâteaux
Temps de préparation et durée totale : 25 mn

Par gâteau :
Calories **225**
Protéines **7 g**
Cholestérol **120 mg**
Total des lipides **8 g**
Acides gras saturés **4 g**
Sodium **55 mg**

1 génoise (recette, p. 11), avec 1 c. à c. de cognac ajoutée à la pâte crue
2 c. à s. de cognac
4 c. à s. de café, très fort (pas du café soluble)
15 cl de crème pâtissière au cognac (recette, p. 11)
15 g de poudre de cacao
15 g de grains de café, finement moulus
8 grains de café en chocolat

Taillez la croûte extérieure sur les 4 côtés de la génoise. En vous servant d'un long couteau bien aiguisé, coupez la génoise en deux, horizontalement. Mélangez le cognac et le café, et servez-vous de ce mélange pour enduire légèrement, au pinceau, les faces coupées de ces génoises. Coupez ensuite chacune d'elle en 2 pour faire 4 rectangles.

Étalez un tiers de la crème aromatisée au cognac sur toute la surface coupée d'un des rectangles, posez dessus un deuxième rectangle, face coupée tournée vers le bas, étalez un deuxième tiers de la crème, posez dessus le troisième rectangle, face coupée tournée vers le haut, recouvrez avec le reste de la crème avant de poser pour finir le dernier rectangle, face coupée tournée vers le bas. En vous servant d'un long couteau bien aiguisé, coupez, longitudinalement, le gâteau en deux, puis coupez chaque partie, transversalement, en quatre parties pour avoir au total 8 gâteaux.

Disposez les huits gâteaux en alignement, couvrez la moitié de chacun d'un papier ou d'une carte mince et tamisez du cacao en poudre sur la partie exposée de chacun. La couche de cacao doit être assez épaisse pour éviter que le liquide contenu dans la génoise ne passe au travers en produisant des taches sombres. Déplacez doucement le papier ou la carte pour couvrir le cacao et tamisez le café finement moulu sur la partie nouvellement exposée. Décorez, pour finir, chaque gâteau d'un grain de café en chocolat. Servez.

Génoise au zeste de citron vert et à la crème au rhum

Pour 8 tranches
Temps de préparation : 25 mn
Durée totale : 55 mn

Par tranche :
Calories **215**
Protéines **6 g**
Cholestérol **90 mg**
Total des lipides **7 g**
Acides gras saturés **3 g**
Sodium **50 mg**

1 génoise (recette, p. 11), dans laquelle on a ajouté, à la pâte crue, le zeste, finement râpé, de 2 citrons verts

le jus de 3 citrons verts

3 c. à s. de punch-coco ou de rhum blanc

15 cl de crème pâtissière (recette, p. 11), aromatisée au punch-coco ou au rhum blanc

175 g de sucre glace

rondelles de citron vert, pour la décoration

paillettes de noix de coco, légèrement grillées, pour la décoration

Éliminez la croûte extérieure sur les côtés de la génoise. Mélangez le jus de 2 citrons avec le rhum et étalez au pinceau ce mélange à la surface.

Coupez, transversalement, la génoise en trois rectangles. Superposez-les en intercalant la crème au rhum, ce qui donnera un assemblage de trois couches de génoise et deux couches de crème.

Tamisez dans un bol le sucre glace et ajoutez, en remuant, le reste du jus de citron (et un peu d'eau si nécessaire) pour faire un glaçage. Étalez-le sur la surface du gâteau et laissez reposer jusqu'à ce qu'il soit presque durci. Incisez légèrement la surface de manière à la diviser en huit parts. Décorez chacune avec les demi-rondelles de citron et les paillettes de noix de coco. Laissez le glaçage durcir complètement avant de découper le gâteau en tranches.

NOTE : *utilisez un couteau économe pour détacher les paillettes d'un quartier de noix de coco fraîche.*

Génoise fourrée de mousse au chocolat

Pour 20 parts
Temps de préparation : 45 mn
Durée totale : 1 h 25

Par part :
Calories **90**
Protéines **3 g**
Cholestérol **35 mg**
Total des lipides **3 g**
Acides gras saturés **1 g**
Sodium **40 mg**

3 jaunes d'œufs
100 g de sucre vanillé
4 blancs d'œufs
125 g de farine ordinaire

Garniture de mousse au chocolat

1/2 c. à c. de gélatine en poudre
100 g de chocolat à croquer, haché
100 g de ricotta maigre, passée au tamis
2 blancs d'œufs

Préchauffez le four à 180° (thermostat : 4), graissez un moule de 25 × 18 cm et chemisez le fond de ce dernier de papier sulfurisé.

Pour préparer la génoise, mettez dans un grand bol les jaunes d'œufs, 75 g de sucre, et posez le bol au-dessus d'une casserole d'eau chaude sur feu doux. Fouettez avec un batteur électrique pour avoir une crème épaisse et très pâle. Éloignez le bol de la source de chaleur et continuez de battre jusqu'à ce que le mélange soit refroidi et fasse le ruban. Battez, dans un autre bol, à l'aide d'un batteur propre, les blancs d'œufs en neige ferme, poudrez le dessus du reste du sucre et battez encore jusqu'à ce que le mélange soit luisant. Tamisez un tiers de la farine à la surface du mélange aux jaunes d'œufs, ajoutez un tiers des blancs d'œufs et incorporez-les délicatement mais rapidement. Ajoutez le deuxième tiers puis le troisième tiers de la farine et des blancs d'œufs en utilisant la même technique.

Versez la pâte dans le moule, enfournez et faites cuire 25 à 30 mn. Démoulez avec précaution sur une grille recouverte de papier sulfurisé, laissez refroidir 2 ou 3 mn puis décollez doucement le papier sans le retirer. Posez dessus une deuxième grille et retournez les deux grilles de façon que la génoise soit remise à l'endroit. Laissez refroidir pendant que vous préparez la garniture.

Répandez la gélatine sur 1 1/2 cuillerée à soupe d'eau dans un petit bol. Laissez-la ramollir pendant 2 mn puis posez le bol au-dessus d'une casserole d'eau frémissante et remuez jusqu'à ce que la gélatine soit complètement dissoute. Faites fondre le chocolat dans un grand bol posé au-dessus d'une casserole d'eau chaude, puis retirez le bol et ajoutez, pendant que le chocolat est encore tiède, la ricotta par petites fractions en battant pour que le mélange reste lisse. Ajoutez petit à petit, en battant, la gélatine. Incorporez enfin les blancs d'œufs, battus en neige très ferme. Laissez reposer la mousse 30 mn.

Taillez les côtés de la génoise et coupez-la en 2 dans le sens de la longueur. Coupez horizontalement chaque partie en 2. Étalez un tiers de la mousse au chocolat sur la partie coupée d'un des rectangles, posez-en un autre dessus, face coupée tournée vers le bas ; enduisez-le d'un tiers de la mousse et recouvrez-le d'un troisième rectangle, face coupée tournée vers le haut et recommencez avec le dernier tiers de la mousse et le dernier rectangle de génoise, face coupée tournée vers le bas. Pressez légèrement pour faire adhérer les couches.

Avant de servir, coupez le gâteau en 10 minces tranches puis recoupez celles-ci en travers.

Coffrets à la mousse au chocolat et aux groseilles

Pour 12 coffrets
Temps de préparation : 1 h 20
Durée totale : 2 h 20

Par coffret :
Calories **145**
Protéines **3 g**
Cholestérol **40 mg**
Total des lipides **6 g**
Acides gras saturés **3 g**
Sodium **20 mg**

200 g de chocolat à croquer
1/2 c. à s. de café fort, refroidi
1 jaune d'œuf
1/2 c. à s. de cognac
2 blancs d'œufs
200 g de groseilles, équeutées

Génoise sans matière grasse

1 œuf
1 blanc d'œuf
60 g de sucre semoule
60 g de farine ordinaire

Préparez, tout d'abord, la mousse : faites fondre, dans un grand bol posé au-dessus d'une casserole d'eau chaude, mais non bouillante, 60 g de chocolat dans le café. Laissez refroidir pendant quelques minutes avant d'ajouter, en remuant, le jaune d'œuf et le cognac. Fouettez, dans un autre bol, les blancs d'œufs en neige très ferme ; enveloppez-les dans le mélange au chocolat et mettez le tout au réfrigérateur, pendant 2 heures, jusqu'à ce que la mousse soit bien ferme. Préparez, pendant ce temps, la génoise et les rectangles de chocolat.

Préchauffez le four à 180° (thermostat : 4), beurrez un moule carré de 20 cm de côté et chemisez le fond de papier sulfurisé.

Pour faire la génoise, mettez dans un grand bol l'œuf, le blanc d'œuf et le sucre et posez-le au-dessus d'une casserole d'eau chaude, sur feu très doux. Fouettez les œufs et le sucre avec un batteur électrique pour avoir une crème épaisse et très pâle. Éloignez le bol de la source de chaleur et continuez de battre jusqu'à ce que le mélange soit refroidi et fasse le ruban. Tamisez légèrement la farine à la surface du mélange et incorporez-la délicatement.

Versez la pâte de la génoise dans le moule en l'étalant bien, enfournez et faites cuire 20 à 25 mn, jusqu'à ce qu'elle soit bien levée, souple au toucher et très légèrement rétractée par rapport aux parois. Retournez-la doucement sur une grille, décollez le papier sulfurisé sans le retirer. Posez dessus une deuxième grille et retournez le tout de manière que la génoise se retrouve sur le papier. Retirez la grille du dessus et laissez refroidir.

Graissez un moule rectangulaire peu profond de 34 × 30 cm et chemisez le fond de papier sulfurisé. Faites fondre le reste du chocolat dans un bol posé au-dessus d'une casserole d'eau chaude et versez-le dans le moule en l'étalant uniformément à l'aide d'une spatule en métal ; laissez-le reposer 30 mn dans un endroit frais. Coupez le chocolat *(encadré, p. 12)*, en 36 rectangles de 7,5 × 3,75 cm et coupez-en douze en deux transversalement pour faire les petits côtés des coffrets en chocolat.

Taillez la croûte de la génoise et coupez-la en bâtonnets de 7,5 × 3 cm. Étalez, à l'aide d'une spatule en métal, un peu de mousse le long des 4 côtés de chaque bâtonnet et formez les coffrets en pressant doucement les rectangles de chocolat sur les côtés enduits. Remplissez les coffrets avec la mousse qui reste et posez dessus une couche de groseilles. Disposez sur des assiettes et servez.

NOTE : *vous pouvez remplacer les groseilles par des fraises ou des framboises.*

Roulés au café et au chocolat blanc

Pour 16 roulés
Temps de préparation : 1 h
Durée totale : 2 h

Par roulé :
Calories **215**
Protéines **5 g**
Cholestérol **40 mg**
Total des lipides **10 g**
Acides gras saturés **6 g**
Sodium **40 mg**

1 c. à s. de gélatine en poudre
15 cl de café fort, refroidi
1 c. à c. de Tia Maria
250 g de fromage blanc
1 génoise (recette, p. 11), avec 2 c. à c. de café très fort ajoutées à la pâte crue
300 g de chocolat blanc
30 g de chocolat à croquer

Répandez la gélatine sur 2 cuillerées à soupe de café froid dans un petit bol, laissez-la ramollir 2 mn avant de poser le bol au-dessus d'une casserole d'eau frémissante et remuez jusqu'à ce qu'elle soit complètement dissoute. Passez au mixeur le reste du café avec la Tia Maria et le fromage blanc jusqu'à obtenir une crème lisse. Ajoutez la gélatine dissoute et faites tourner pendant 20 secondes. Mettez la crème au réfrigérateur pendant 1 à $1^1/_2$ heure.

Coupez la génoise en deux, horizontalement, avec un long couteau et éliminez toutes les croûtes sèches. Coupez chaque demi-génoise en deux, longitudinalement, et coupez en quatre, transversalement, chacune des bandes, ce qui vous donnera un total de 16 rectangles de 10 × 7,5 cm. Posez chacun de ces rectangles entre deux feuilles de papier sulfurisé et étendez-le un peu au rouleau pour aplatir la génoise et lui éviter de se craqueler au moment de l'enrouler autour de la garniture.

Enduisez la face coupée de chaque rectangle d'une couche de 5 mm de crème au café, sans aller jusqu'aux bords. Enroulez, à partir d'un petit côté, pour avoir un petit rouleau bien serré.

Pour le glaçage, faites fondre le chocolat blanc dans un bol posé au-dessus d'une casserole d'eau frémissante ; posez un petit rouleau sur une spatule en métal, soudure au-dessous ; tenez-la au-dessus du bol de chocolat blanc et versez celui-ci à la cuillère sur le roulé pour le recouvrir entièrement. Posez-le sur une feuille de papier sulfurisé et recommencez l'opération pour enrober tous les autres.

Faites fondre le chocolat à croquer de la même manière, versez-le dans une poche en papier paraffiné *(encadré, p. 12)* et servez-vous en pour décorer chaque roulé d'un fin zigzag en chocolat.

Roulés au chocolat

Pour 16 roulés
Temps de préparation : 1 h
Durée totale : 1 h 30

Par roulé :
Calories **195**
Protéines **4 g**
Cholestérol **60 mg**
Total des lipides **8 g**
Acides gras saturés **5 g**
Sodium **25 mg**

350 g de chocolat à croquer
2 jaunes d'œufs
1 c. à c. de Grand Marnier, de Cointreau ou autre liqueur à l'orange
3 blancs d'œufs
1 génoise (recette, p. 11), dans laquelle on a substitué 30 g de cacao en poudre à 30 g de farine
15 g de noisettes, grillées et pelées (encadré, p. 29), puis hachées

Faites fondre 125 g de chocolat dans un bol posé au-dessus d'une casserole d'eau frémissante. Laissez refroidir un peu avant d'ajouter, en remuant, les jaunes d'œufs et le Grand Marnier. Fouettez, dans un autre bol, les blancs d'œufs en neige très ferme, puis enveloppez-les dans le chocolat. Mettez la mousse au réfrigérateur pendant 30 mn.

Coupez en deux, avec un couteau-scie, la génoise horizontalement ; éliminez les croûtes sèches et coupez chaque partie en deux longitudinalement puis chacune des bandes en quatre horizontalement, ce qui donnera un total de seize rectangles de 10 × 7,5 cm. Posez chacun de ces rectangles entre deux feuilles de papier sulfurisé et étendez-le un peu au rouleau pour aplatir la génoise et lui éviter de se craqueler au moment de l'enrouler.

Enduisez la face coupée de chaque rectangle d'une couche de 5 mm de mousse au chocolat sans aller jusqu'aux bords. Enroulez-le, à partir d'un petit côté, pour avoir un petit rouleau bien serré.

Faites fondre le reste du chocolat dans un bol posé au-dessus d'une casserole d'eau chaude ; posez un rouleau sur une spatule, soudure au-dessous ; tenez-la au-dessus du bol et versez le chocolat fondu, à la cuillère, sur le roulé. Posez-le sur une feuille de papier sulfurisé et saupoudrez-le de noisettes hachées. Recommencez l'opération pour enrober et décorer tous les autres roulés. Laissez-les reposer avant de servir.

Tranches meringuées aux groseilles à maquereau

Pour 10 tranches
Temps de préparation : 1 h
Durée totale : 1 h 50

Par tranche :
Calories **210**
Protéines **3 g**
Cholestérol **60 mg**
Total des lipides **8 g**
Acides gras saturés **4 g**
Sodium **120 mg**

75 g de beurre
75 g de sucre semoule
2 jaunes d'œufs
1 c. à c. d'extrait de vanille
125 g de farine ordinaire
1 c. à c. de levure chimique
10 cl de lait écrémé

Garniture de meringue

2 blancs d'œufs
90 g de sucre semoule

Farce de groseilles à maquereau

500 g de groseilles à maquereau, parées, équeutées et coupées en deux
100 g de sucre semoule
1/2 c. à c. de cannelle, moulue
1 c. à s. d'arrow-root

Préchauffez le four à 180° (thermostat : 4) et chemisez le fond d'un moule de 30 × 20 × 4 cm d'une feuille de papier sulfurisé assez longue pour dépasser de 4 cm le bord des deux petits côtés ; cela vous permettra d'extraire plus facilement le gâteau.

Battez, dans un grand bol, le beurre et le sucre pour avoir une crème pâle et mousseuse. Ajoutez les jaunes d'œufs et l'extrait de vanille et incorporez-les dans le mélange de beurre et de sucre. Tamisez la farine avec la levure et incorporez-les petit à petit au mélange, en alternant avec le lait. Combinez le tout pour avoir une pâte assez fluide que vous verserez dans le fond du moule.

Pour faire la meringue, fouettez les blancs d'œufs en neige ferme. Ajoutez le sucre — une cuillerée après l'autre — en fouettant vivement à chaque fois jusqu'à ce que le mélange soit de nouveau très ferme et luisant. Disposez la meringue sur la pâte à génoise et étalez-la presque jusqu'aux bords. Enfournez et faites cuire 35 mn. Démoulez le gâteau et laissez-le refroidir sur une grille.

Préparez, pendant ce temps, la farce : mettez les groseilles à maquereau dans une casserole en matériau inerte avec 2 cuillerées à soupe d'eau, ajoutez en remuant le sucre et la cannelle et faites cuire les baies à feu très doux pendant 10 à 15 mn. Retirez-les à l'aide d'une écumoire et réservez-les. Réservez aussi 4 cuillerées à soupe du jus de cuisson. Délayez, dans un petit bol, l'arrow-root dans une cuillerée à soupe d'eau et ajoutez, en remuant, le jus réservé. Retournez le tout dans la casserole et faites cuire à feu doux jusqu'à ce que le liquide commence à épaissir. Mettez dedans les groseilles et faites cuire pendant 45 mn. Laissez refroidir pendant 45 mn.

Égalisez au couteau les bords de la meringue refroidie et coupez-la en deux longitudinalement. Étalez uniformément la farce de groseilles sur la garniture de meringue de l'une des deux parties ; posez l'autre partie, meringue vers le haut, sur la couche de groseilles et coupez en 10 tranches. Servez.

NOTE : *vous pouvez substituer aux groseilles fraîches des groseilles surgelées. Point n'est besoin de les dégeler ; il vous suffira de prolonger le temps de cuisson dans le sirop.*

Bâtonnets de meringue à la noix de coco

Pour 36 bâtonnets
Temps de préparation : 30 mn
Durée totale : 1 h 30

Par bâtonnet :
Calories **25**
Protéines **traces**
Cholestérol **0 mg**
Total des lipides **1 g**
Acides gras saturés **traces**
Sodium **5 mg**

2 blancs d'œufs
125 g de sucre vanillé
60 g de noix de coco séchée

Chemisez très soigneusement de papier sulfurisé deux plaques de cuisson et préchauffez le four à 130° (thermostat : 1/2).

Mettez les blancs d'œufs et le sucre dans un grand bol que vous poserez sur une casserole d'eau frémissante, en veillant à ce que le bol ne touche pas l'eau ; battez en neige légère avec un fouet électrique pendant 5 mn. Éloignez le bol de la source de chaleur et continuez de battre à grande vitesse jusqu'à ce que la meringue soit ferme et luisante.

Incorporez-y, à l'aide d'une cuillère en métal, toute la noix de coco, à l'exception de 2 cuillerées à soupe que vous réserverez. Transférez le mélange dans une poche à douille simple de 1 cm et dressez des barres de 10 cm de long sur les plaques de cuisson. Saupoudrez-les avec le reste de la noix de coco, enfournez et faites-les cuire 1 heure, jusqu'à ce qu'elles soient sèches et croustillantes mais toujours blanches à l'extérieur. La meringue sera encore légèrement humide à l'intérieur.

Transférez délicatement les bâtonnets sur une grille et laissez-les refroidir.

NOTE : *ces bâtonnets pourront se conserver 4 ou 5 jours dans un récipient étanche.*

Bâtonnets de meringue enrobés de chocolat

Pour 60 bâtonnets
Temps de préparation : 35 mn
Durée totale : 2 h

Par bâtonnet :
Calories **35**
Protéines **traces**
Cholestérol **0 mg**
Total des lipides **2 g**
Acides gras saturés **1 g**
Sodium **10 mg**

2 blancs d'œufs
125 g de sucre semoule
1 c. à c. de poudre de cacao
1/2 c. à c. de zeste d'orange, râpé, bien séché sur du papier absorbant
150 g de chocolat à croquer
150 g de chocolat blanc

Préchauffez le four à 130° (thermostat : 1/2) et chemisez de papier sulfurisé 2 plaques de cuisson.

Battez les blancs d'œufs en neige légère, ajoutez la moitié du sucre, en battant toujours, jusqu'à ce que le mélange soit très ferme et luisant. Incorporez doucement le reste du sucre à l'aide d'une cuillère en métal. Divisez les blancs en deux parties égales et aromatisez d'abord l'une avec le cacao puis l'autre avec le zeste d'orange. Vous prendrez soin d'envelopper très doucement le zeste dans les blancs d'œufs battus afin de ne pas « défaire » la meringue.

Transférez l'un des mélanges dans une poche à douille simple de 1 cm et dressez sur une des plaques de cuisson des bâtonnets de 7,5 cm, en les espaçant d'au moins 2,5 cm. Faites de même avec l'autre mélange. Enfournez et faites cuire les bâtonnets pendant 1 heure jusqu'à ce qu'ils soient complètement secs. Laissez-les refroidir.

Faites fondre le chocolat noir avec 4 cuillerées à soupe d'eau dans un bol posé au-dessus d'une casserole d'eau frémissante. Enrobez à moitié les bâtonnets à l'orange en les plongeant obliquement dans le chocolat fondu. Laissez-les reposer sur une feuille de papier sulfurisé. Faites fondre, pendant ce temps, le chocolat blanc et enrobez de la même manière les bâtonnets au cacao.

NOTE : *les bâtonnets de meringue se conservent plusieurs jours dans un endroit frais et sec.*

Trio de meringues

Pour 24 meringues
Temps de préparation : 1 h
Durée totale : 4 h

Meringue simple :
Calories **80**
Protéines **2 g**
Cholestérol **0 mg**
Total des lipides **2 g**
Acides gras saturés **1 g**
Sodium **60 mg**

Meringue à la noix de coco :
Calories **95**
Protéines **2 g**
Cholestérol **0 mg**
Total des lipides **4 g**
Acides gras saturés **3 g**
Sodium **60 mg**

Meringue aux framboises :
Calories **80**
Protéines **1 g**
Cholestérol **0 mg**
Total des lipides **2 g**
Acides gras saturés **1 g**
Sodium **60 mg**

4 blancs d'œufs
250 g de sucre semoule
45 g de noix de coco séchée, légèrement grillée
30 g de framboises, réduites en purée et passées au tamis
30 g de chocolat à croquer, finement râpé
30 g de noix, décortiquées, finement hachées

Garniture de fromage au citron

250 g de fromage blanc maigre
le zeste, finement râpé, de 2 citrons
30 g de sucre semoule

Préchauffez le four à 100° (thermostat : 1/4) et chemisez de papier sulfurisé 3 plaques de cuisson.

Battez, dans un grand bol, les blancs d'œufs en neige ferme et ajoutez, petit à petit, le sucre en fouettant constamment entre une addition et l'autre jusqu'à ce que la meringue soit ferme et luisante.

Transférez un tiers de la meringue dans une poche à douille étoilée à 12 branches, de 1 cm. Mettez le deuxième tiers dans un petit bol, mélangez avec la noix de coco grillée et transférez-le dans une poche à douille simple de 1,5 cm. Enveloppez enfin la purée de framboises dans le dernier tiers de la meringue et transférez-le dans une poche à douille étoilée à 7 branches, de 1 cm.

Dressez la meringue simple en une spirale continue pour constituer 12 unités de 6 cm de long sur une plaque de cuisson ; la dimension des volutes dressées doit croître vers le centre et décroître vers l'extrémité. Dressez, avec la meringue à la noix de coco, 16 monticules arrondis de 5 cm de diamètre sur la deuxième plaque de cuisson et dressez, pour finir, sur la troisième plaque, avec la meringue à la framboise, 20 coquilles de 5 cm de diamètre. Enfournez et faites cuire les meringues : comptez 2 heures pour les meringues à la noix de coco et 2 1/2 à 3 heures pour les autres. Si elles commencent à brunir avant d'être croustillantes, baissez la température du four. Laissez-les refroidir sur les plaques de cuisson avant de les détacher du papier sulfurisé.

Pour faire la garniture, battez dans un bol le fromage blanc avec le zeste de citron et le sucre jusqu'à obtenir une crème lisse. Juste avant de servir, assemblez 2 par 2 les meringues ayant la même composition en intercalant une couche de crème au citron. Saupoudrez les meringues simples de chocolat râpé, les meringues à la noix de coco avec le reste de noix de coco grillée et les meringues à la framboise de noix hachées.

NOTE : *pour faire griller la noix de coco, passez-la sous le gril pendant 1 ou 2 mn en la retournant fréquemment.*

Ballons au moka

Pour 10 gâteaux
Temps de préparation : 1 h 30
Durée totale : 6 h

Par gâteau :
Calories **200**
Protéines **3 g**
Cholestérol **0 mg**
Total des lipides **4 g**
Acides gras saturés **2 g**
Sodium **50 mg**

3 blancs d'œufs
175 g de sucre semoule
1 c. à s. de poudre de cacao
2 c. à c. de café, en grains, très finement moulu
450 g de châtaignes fraîches, pelées (encadré, p. 51)
1/2 gousse de vanille, fendue
30 cl de lait écrémé
100 g de sucre roux
2 à 3 c. à s. de cognac ou de rhum ambré
1/2 c. à c. de zeste d'orange, finement râpé
45 g de chocolat à croquer
2 oranges, coupées en quartiers (encadré, p. 41) et grossièrement hachées
8 cl de yaourt maigre nature

Préchauffez le four à 100° (thermostat : 1/4) et chemisez de papier sulfurisé une plaque de cuisson.

Mettez les blancs d'œufs et le sucre semoule dans un grand bol posé au-dessus d'une casserole d'eau frémissante en veillant à ce que le fond du bol ne touche pas l'eau. Fouettez pendant 5 mn, jusqu'à ce que le sucre soit dissous et que les blancs d'œufs soient chauds, puis éloignez le bol de la source de chaleur et continuez de fouetter vivement, jusqu'à ce que des monticules commencent à se former. Incorporez le cacao et le café et fouettez encore, jusqu'à ce que la meringue soit ferme et luisante.

Transférez-la dans une poche à douille simple de 1 cm et dressez-la en deux étapes (ce sera plus facile). Dressez 10 spirales fermées de 7,5 cm de diamètre sur la plaque de cuisson. Elles serviront de base au coffrage qui contiendra la garniture. Pour faire ce coffrage, vous pouvez soit dresser deux anneaux superposées de meringue sur le pourtour de chaque spirale soit munir la poche d'une douille étoilée de 1 cm et dresser sur ce pourtour un rang de coquilles de 1 cm de haut.

Enfournez et faites cuire ces nids en meringue pendant 4 h, jusqu'à ce qu'ils soient fermes au toucher et qu'ils se détachent facilement du papier. Transférez sur une grille et laissez refroidir.

Préparez, pendant ce temps, la garniture aux châtaignes. Mettez les châtaignes pelées, la gousse de vanille et le lait dans une casserole à fond épais. Portez à ébullition puis baissez le feu et laissez frémir à feu doux pendant 25 à 30 mn, jusqu'à ce que les châtaignes soient très tendres. Retirez-les à l'aide d'une écumoire ; retirez et rincez la gousse de vanille. Réduisez les châtaignes en purée.

Faites dissoudre le sucre roux dans une petite casserole contenant 5 cuillerées à soupe d'eau puis ajoutez la gousse de vanille et faites bouillir 3 mn pour avoir un sirop épais et légèrement caramélisé. Retirez la gousse de vanille et laissez refroidir le sirop pendant 1 mn avant d'ajouter les châtaignes ; battez bien, ajoutez le cognac et le zeste d'orange.

Faites fondre le chocolat dans un bol posé au-dessus d'une casserole d'eau frémissante. Étalez au pinceau un peu de chocolat fondu sur chacune des bases en meringue et laissez durcir. Mélangez les oranges et le yaourt et remplissez, à la cuillère, tous les nids en meringue.

Dressez un monticule de vermicelles de châtaignes à la surface de chaque meringue en passant les châtaignes dans un presse-purée et en coupant les filaments à l'aide d'un petit couteau quand vous en avez débité une quantité suffisante. Vous pouvez obtenir le même résultat en utilisant une poche munie d'une petite douille simple.

Ces gâteaux se conserveront bien pendant quelques heures. Si vous ne devez pas les servir immédiatement, couvrez-les légèrement.

Feuilles de meringue

Pour 12 feuilles
Temps de préparation : 1 h 15
Durée totale : 3 h 15

Par feuille :
Calories **100**
Protéines **3 g**
Cholestérol **20 mg**
Total des lipides **4 g**
Acides gras saturés **2 g**
Sodium **15 mg**

2 blancs d'œufs
125 g de sucre semoule
75 g de chocolat à croquer, dont 30 g râpés
15 cl de crème pâtissière au chocolat (recette, p. 11)

Préchauffez le four à 100° (thermostat : 1/4). Coupez dans du carton un patron en forme de feuille de 9 cm de long et 7,5 cm de large et, dans du papier sulfurisé, deux rectangles destinés à chemiser deux plaques de cuisson. Dessinez au crayon, à l'aide du patron, les contours de six feuilles sur chacun de ces rectangles, en les espaçant d'au moins 2,5 cm. Retournez les rectangles sur les plaques.

Battez les blancs d'œufs en neige légère puis ajoutez, une cuillerée après l'autre, le sucre en battant toujours. Incorporez le chocolat râpé.

Transférez le mélange dans une poche à douille simple de 5 mm et dressez 12 feuilles sur les plaques de cuisson *(encadré, p. suivante)*. Enfournez et faites cuire pendant 2 ou 3 heures, jusqu'à ce que les feuilles soient sèches et qu'elles se détachent du papier. Elles ne seront pas encore tout à fait fermes au centre, le chocolat les empêchant de durcir complètement. Laissez-les refroidir sur le papier.

Préparez, pendant ce temps, les feuilles en filigrane de chocolat. Tracez, sur du carton blanc, les contours d'une feuille mesurant 2,5 cm de moins — en longueur et en largeur — que le patron utilisé pour faire les feuilles en meringue et coupez trois rectangles de papier sulfurisé de 45 × 15 cm. Faites fondre le reste du chocolat dans un bol posé au-dessus d'une casserole d'eau frémissante. Pliez une feuille de papier sulfurisé pour en faire une poche, transférez-y le chocolat fondu et coupez la pointe de la poche *(encadré, p. 12)*. En utilisant le carton pour vous guider, dressez sur chaque rectangle de papier quatre feuilles en filigrane de chocolat *(encadré, ci-dessous)*. Laissez-les durcir.

Recouvrez chaque feuille en meringue de crème pâtissière ; détachez les feuilles en filigrane du papier et posez-les sur les meringues.

Feuilles en filigrane

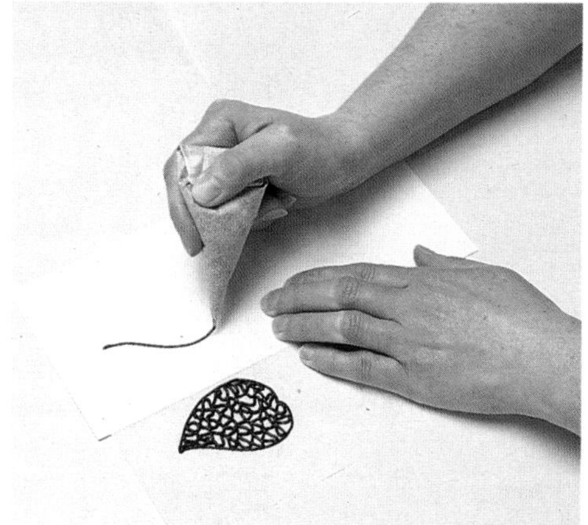

FILIGRANER LES FEUILLES. Posez un rectangle de papier sulfurisé sur le patron et maintenez-le en place d'une main. Dessinez le contour de la feuille en dressant un mince ruban de chocolat. Puis, en commençant par la pointe, remplissez le centre de la feuille, en un mouvement de va-et-vient, d'un réseau continu de lignes sinueuses.

Faire des feuilles en meringue

1 *DRESSER LES CONTOURS. Retournez le sommet de la poche pour le fermer et, en exerçant une pression ferme et régulière, dressez un ruban de meringue pour tracer les contours d'une feuille en suivant le dessin.*

2 *REMPLIR LE CENTRE. En partant de la pointe de chaque feuille, remplissez la surface à l'intérieur des contours en dressant des rubans de meringue. Dressez une petite tige à la base de chaque feuille.*

3 *COMPLÉTER LES FEUILLES. Dressez une série de points sur le pourtour de chaque feuille pour faire une bordure. Dressez une deuxième tige par-dessus la première.*

Coquilles aux noisettes et chocolat

Pour 20 coquilles
Temps de préparation : 1 h
Durée totale : 7 h 30

Par coquille :
Calories **90**
Protéines **1 g**
Cholestérol **0 mg**
Total des lipides **3 g**
Acides gras saturés **1 g**
Sodium **10 mg**

3 blancs d'œufs
175 g de sucre semoule
90 g de noisettes, décortiquées, pelées (encadré, p. 29), grillées et moulues
60 g de chocolat à croquer
1 1/2 c. à c. de café fort, refroidi
7 g de beurre
30 g de sucre glace
1 c. à s. de liqueur d'amaretto

Préchauffez le four à 100° (thermostat : 1/4) et chemisez de papier sulfurisé une plaque de cuisson.

Fouettez les blancs d'œufs en neige très ferme. Incorporez le sucre, une cuillerée après l'autre, en battant vivement après chaque ajout, jusqu'à ce que la meringue soit bien ferme et luisante. Incorporez-y les noisettes, à l'aide d'une cuillère en métal.

Transférez la meringue dans une poche à douille étoilée de 2 cm et dressez 40 coquilles sur la plaque de cuisson. Enfournez et faites cuire 2 1/2 heures. Éteignez le four et laissez-y reposer les meringues 4 heures, au minimum.

Faites fondre le chocolat avec le café dans un bol posé au-dessus d'une casserole d'eau frémissante. Incorporez le beurre, tamisez dessus le sucre glace et mélangez. Laissez tiédir et ajoutez la liqueur.

Laissez épaissir légèrement le chocolat pendant quelques minutes encore. Accolez deux par deux les meringues après les avoir tartinées de chocolat et trempez dedans l'extrémité de chaque paire. Transférez-les sur une feuille de papier sulfurisé et laissez reposer 1 heure, c'est-à-dire jusqu'à ce que le glaçage soit durci, avant de les servir.

Meringues aux noix à la crème à l'eau de rose et aux fraises

Pour 10 meringues
Temps de préparation : 30 mn
Durée totale : 7 h

Par meringue :
Calories **155**
Protéines **2 g**
Cholestérol **15 mg**
Total des lipides **8 g**
Acides gras saturés **3 g**
Sodium **20 mg**

3 blancs d'œufs
175 g de sucre semoule
45 g de noix, décortiquées, hachées grossièrement et légèrement grillées
15 cl de crème fleurette
1/4 de c. à c. d'eau de rose
350 g de fraises, équeutées et émincées

Préchauffez le four à 100° (thermostat : 1/4) et chemisez de papier sulfurisé une plaque de cuisson.

Fouettez les blancs d'œufs en neige si ferme qu'elle colle au fouet quand on le soulève. Ajoutez le sucre, une cuillerée après l'autre, en fouettant vivement après chaque addition jusqu'à ce que le mélange soit à nouveau bien ferme et luisant. Incorporez-y les noix et la moitié de l'eau de rose.

Transférez le mélange dans une poche munie d'une grande douille étoilée et dressez 20 petites coquilles de 5 cm de diamètre sur la plaque de cuisson. Enfournez et faites cuire les meringues 2 1/2 heures, jusqu'à ce que vous puissiez les détacher facilement du papier. Éteignez le four et laissez-y les meringues pendant 4 heures ou jusqu'au lendemain.

Juste avant de servir, fouettez la crème dans un bol, ajoutez le reste de l'eau de rose et incorporez-y les fraises émincées. Accolez par paires les meringues, tartinées de crème aux fraises.

NOTE : *pour faire griller les noix, mettez-les sous le gril chaud pendant 1 mn en les secouant fréquemment.*

Meringues aux pistaches

Pour 12 meringues
Temps de préparation : 30 mn
Durée totale : 3 h 30

Par meringue :
Calories **135**
Protéines **2 g**
Cholestérol **15 mg**
Total des lipides **7 g**
Acides gras saturés **3 g**
Sodium **20 mg**

3 blancs d'œufs

175 g de sucre glace

60 g de pistaches, décortiquées et pelées, 15 g hachés, le reste effilé

15 cl de crème fleurette

1 kiwi, pelé et coupé en tranches, elles-mêmes coupées en quatre

Préchauffez le four à 100° (thermostat : 1/4) et chemiser de papier sulfurisé 2 plaques de cuisson.

Fouettez les blancs d'œufs en neige si ferme qu'elle colle au fouet quand il est soulevé. Ajoutez le sucre, une cuillerée après l'autre, en fouettant constamment après chaque ajout, jusqu'à ce que le mélange redevienne ferme et luisant. Incorporez-y, délicatement, les pistaches effilées. Transférez le mélange dans une poche à douille simple de 2,5 cm et dressez sur les plaques de cuisson 24 petites meringues de 5 cm de diamètre.

Enfournez et faites cuire les meringues pendant 2 1/2 heures jusqu'à ce qu'elles se détachent facilement du papier. Éteignez le four et laissez-y les meringues reposer jusqu'à ce qu'elles soient complètement refroidies.

Juste avant de servir, fouettez la crème et accolez par paires les meringues tartinées de crème. Pour faire plus joli, dressez la crème en vous servant d'une douille étoilée. Décorez les meringues de pistaches hachées, de quartiers de kiwi et servez.

NOTE : *pour peler les pistaches, jetez-les 1 mn dans de l'eau bouillante, puis frottez-les dans une serviette.*

Meringues au chocolat et aux cerises

Pour 8 meringues
Temps de préparation : 45 mn
Durée totale : 6 h 30

Par meringue :
Calories **145**
Protéines **2 g**
Cholestérol **0 mg**
Total des lipides **3 g**
Acides gras saturés **2 g**
Sodium **15 mg**

2 blancs d'œufs
125 g de sucre semoule
45 g de chocolat à croquer
1 c. à s. de kirsch
150 g de fromage blanc
150 g de cerises, dénoyautées et coupées en deux
3 c. à s. de confiture de cerises
1 c. à c. d'arrow-root

Préchauffez le four à 100° (thermostat : 1/4) et chemisez une plaque de cuisson de papier sulfurisé. Dessinez 8 ovales de 7,5 × 5 cm, en les espaçant de 2,5 cm. Retournez le papier.

Mettez les blancs d'œufs et le sucre dans un grand bol posé au-dessus d'une casserole d'eau frémissante. Fouettez le mélange pendant 4 mn jusqu'à ce que le sucre soit dissous et que les blancs d'œufs soient chauds puis fouettez plus vigoureusement jusqu'à ce que la meringue soit bien ferme et luisante.

Transférez-la, à la cuillère, dans une poche à douille étoilée de 1 cm et remplissez les ovales dessinés sur le papier chemisant la plaque de cuisson en dressant des spirales de meringue qui serviront de base aux nids. Pour en faire les parois, dressez deux anneaux superposés sur tout le pourtour de chaque base. Enfournez les nids et faites-les cuire pendant 5 à 6 heures jusqu'à ce qu'ils soient secs et craquants. Laissez-les refroidir.

Faites fondre le chocolat dans un bol posé au-dessus d'une casserole d'eau frémissante. Enduisez la base de chaque nid d'une mince couche de chocolat fondu. Laissez durcir.

Incorporez, en battant, le kirsch dans le fromage blanc ; répartissez-le dans les nids une fois que le chocolat a durci et posez dessus les cerises.

Faites chauffer la confiture avec 2 cuillerées à soupe d'eau, jusqu'à ce qu'elle soit liquéfiée. Passez-la et incorporez dedans l'arrow-root. Remettez-la dans la casserole et portez à ébullition en remuant constamment. Éloignez du feu et laissez reposer le glaçage jusqu'à ce qu'il ait épaissi avant de l'étaler délicatement, au pinceau, sur les cerises.

Paniers en meringue aux fruits

Pour 8 paniers
Temps de préparation : 45 mn
Durée totale : 3 h 30

Par panier :
Calories **85**
Protéines **1 g**
Cholestérol **0 mg**
Total des lipides **0 g**
Acides gras saturés **0 g**
Sodium **15 mg**

90 g de sucre semoule
30 g de sucre roux
2 blancs d'œufs

Garniture de fruits

90 g de framboises fraîches
1 kiwi, pelé, coupé en deux longitudinalement, puis en tranches
60 g de grains de raisin blanc, coupés en deux
125 g de fraises fraîches, équeutées et émincées
2 c. à s. de kirsch ou de vin blanc sec

Préchauffez le four à 100° (thermostat : 1/4). Chemisez une grande plaque de cuisson de papier sulfurisé et dessinez dessus au crayon 6 carrés de 6 cm de côté, en les espaçant de 2,5 cm.

Tamisez ensemble le sucre semoule et le sucre roux. Fouettez les blancs d'œufs en neige légère et continuez de fouetter en ajoutant les sucres, une cuillerée après l'autre. Le mélange doit être très ferme et luisant. Transférez la meringue dans une poche à douille étoilée de 1 cm. Commencez par dresser un ruban sur tout le pourtour de chaque carré puis faites des allers-retours d'un côté à l'autre pour faire la base de chaque panier. Faites ensuite les parois en dressant deux rubans superposés sur le pourtour de chaque base. Complétez chaque panier par une étoile en meringue à chaque coin.

Enfournez et faites cuire les meringues pendant 2 1/2 à 3 heures jusqu'à ce qu'elles soient tout à fait sèches. Laissez-les refroidir sur une grille.

Mettez dans un grand bol les framboises, les tranches de kiwi, les demi-raisins et les tranches de fraises. Incorporez le kirsch ou le vin et laissez macérer pendant 30 mn, au moins.

Laissez les fruits s'égoutter complètement, juste avant de les disposer dans les paniers. Servez.

Roulade aux poires épicées

Pour 18 personnes
Temps de préparation : 1 h
Durée totale : 8 h
(temps de macération et de levage inclus)

Calories **110**
Protéines **2 g**
Cholestérol **15 mg**
Total des lipides **3 g**
Acides gras saturés **traces**
Sodium **60 mg**

250 g de farine panifiable
½ c. à c. de sel
les graines, moulues, de 5 capsules de cardamome
15 g de levure fraîche ou ½ c. à c. de levure sèche
30 g de sucre roux
6 c. à s. de lait écrémé, tiédi
1 œuf, légèrement battu
1 c. à s. d'huile de noix ou de carthame
1 c. à c. de sucre semoule

Garniture épicée aux poires

60 g de chapelure, fraîche, de pain d'épice
2 c. à s. de calvados ou de rhum ambré
2 c. à s. de cassonade
1 c. à s de miel liquide
1 c. à s. de poudre de cacao
1 c. à s. d'épices pour pain d'épice
45 g de pacanes, décortiquées, grossièrement hachées
175 g de poires séchées, mises à tremper pendant 4 h, égouttées et grossièrement hachées

Tamisez ensemble la farine, le sel et la cardamome dans un grand bol tiédi. Émiettez la levure fraîche et mélangez-la avec 1 cuillerée à café de sucre et 5 cuillerées à soupe de lait. Si vous utilisez de la levure sèche, activez-la selon le mode d'emploi du fabricant. Ajoutez à la levure 60 g de farine à la cardamome et remuez avec une fourchette pour avoir une pâte souple. Laissez-la lever pendant 30 mn dans un endroit tiède.

Faites un puits dans le reste des ingrédients secs, mettez-y la pâte levée, l'œuf, l'huile et le reste du sucre roux. Mélangez bien, avec une cuillère en bois, tous les ingrédients liquides avant d'incorporer, petit à petit, la farine. Quand la pâte devient trop dure pour être mélangée à la cuillère, continuez avec les mains. Transférez-la sur un plan de travail légèrement fariné et pétrissez-la pendant 10 mn jusqu'à ce qu'elle soit lisse, élastique, et pas trop collante. Mettez-la dans un grand bol légèrement huilé, couvrez d'une pellicule plastique et laissez reposer dans un endroit tiède pendant 1½ heure, jusqu'à ce qu'elle ait doublé de volume.

Rompez la pâte avec le poing, transférez-la sur un plan de travail légèrement fariné et pétrissez-la pendant 2 ou 3 mn. Saupoudrez de farine le plan de travail et la pâte et étendez-la au rouleau en un rectangle de 37,5 × 30 cm.

Pour faire la garniture, mouillez de calvados ou de rhum la chapelure et ajoutez, en remuant, la cassonade. Étalez la chapelure sur toute la surface du rectangle à l'exception d'une marge de 2,5 cm le long d'un des grands côtés. Arrosez avec le miel, tamisez dessus le cacao et le mélange d'épices et répandez les pacanes sur toute la surface. Disposez les poires en trois rangées parallèles à la marge restée découverte en arrêtant à 2,5 cm du bord de la chapelure. Enroulez la pâte, en partant du grand côté recouvert de farce jusqu'au bord, et scellez les extrémités en les pressant.

Préchauffez le four à 180° (thermostat : 4), couvrez légèrement la roulade d'une pellicule plastique et laissez-la reposer jusqu'à ce que le four soit chaud. Juste avant de l'enfourner, faites dissoudre le sucre semoule dans le reste du lait et étalez, comme un glaçage, cette solution sur la pâte. Faites cuire la roulade pendant 35 à 45 mn, jusqu'à ce qu'elle soit brun-doré et qu'elle sonne le creux quand on la tapote. Laissez-la refroidir sur une grille. Si vous voulez qu'elle ait une croûte souple, enveloppez-la dans un linge pendant qu'elle est encore tiède. Coupez-la en tranches juste avant de servir.

POUR ACCOMPAGNER : *crème légère ou yaourt crémeux.*

Pêches en brioche

Pour 10 pêches
Temps de préparation : 1 h 30
Durée totale : 7 h 45
(temps de levage et de refroidissement inclus)

Par pêche :
Calories **225**
Protéines **5 g**
Cholestérol **65 mg**
Total des lipides **8 g**
Acides gras saturés **4 g**
Sodium **40 mg**

15 g de levure fraîche ou 1/2 c. à c. de levurs sèche
3 c. à s. de lait écrémé, tiédi
275 g de farine ordinaire
15 g de sucre semoule
1/8 de c. à c. de sel
2 œufs, battus
90 g de beurre, ramolli
angélique, coupée en 20 petites feuilles
sucre semoule, pour décorer

Crème au beurre

1 blanc d'œuf
45 g de sucre semoule
60 g de beurre
1 c. à s. de kirsch

Glaçage aux abricots et framboises

30 g de sucre semoule
2 c. à s. de rhum blanc
2 c. à s. de confiture d'abricots
1 c. à s. de confiture de framboises

Pour préparer la pâte à brioche, délayez la levure fraîche dans le lait tiède ou activez la levure séchée. Tamisez dans un grand bol la farine, le sucre et le sel et faites un puits au centre. Versez-y la levure, ajoutez les œufs et battez tous les ingrédients pour avoir une pâte souple. Transférez-la sur une surface légèrement farinée et pétrissez-la pendant 10 à 15 mn en la soulevant puis en la rabattant vivement sur le plan de travail jusqu'à ce qu'elle devienne ferme et élastique. Incorporez le beurre, petit à petit dans la pâte. Mettez-la dans un bol, recouvrez-la d'un plastique et mettez-la au réfrigérateur, 5 heures, pour que la pâte lève très lentement.

Beurrez légèrement deux plaques de cuisson. Mettez la pâte levée sur une surface farinée et rompez-la avec les poings. Pétrissez-la légèrement pendant 2 ou 3 mn, jusqu'à ce qu'elle soit lisse, donnez-lui la forme d'un long boudin puis coupez-la en 20 morceaux égaux. Faites de chaque morceau une rondelle, posez-les sur les plaques de cuisson, en les espaçant largement. Aplatissez légèrement chaque rondelle puis couvrez les plaques de cuisson d'une pellicule plastique. Laissez reposer 30 mn dans un endroit tiède jusqu'à ce que les rondelles aient doublé de volume. Préchauffez, pendant ce temps, le four à 220° (thermostat : 7).

Retirez la pellicule plastique, enfournez et faites cuire les brioches pendant 15 mn. Transférez-les sur une grille et laissez-les refroidir.

Préparez, pendant ce temps, la crème au beurre : mettez le blanc d'œuf et le sucre semoule dans un petit bol posé au-dessus d'une casserole d'eau frémissante. Fouettez le blanc d'œuf et le sucre jusqu'à ce que le mélange soit bien ferme et luisant. Retirez-le du feu et continuez de battre jusqu'à ce qu'il soit froid. Battez le beurre dans un autre bol jusqu'à ce qu'il soit mousseux, ajoutez, petit à petit, la meringue puis le kirsch et mettez-le au réfrigérateur jusqu'au moment de l'utiliser.

Découpez et prélevez un petit cône à la base de chaque brioche. Remplissez le creux ainsi pratiqué de crème au beurre parfumée au kirsch et accolez les brioches deux par deux pour leur donner l'aspect de pêches. Posez-les sur une grille.

Pour faire le glaçage, mettez le sucre dans une petite casserole avec 4 cuillerées à soupe d'eau froide. Faites chauffer doucement, en remuant, jusqu'à ce que le sucre soit dissous, portez à ébullition et laissez bouillir 30 secondes, puis retirez la casserole du feu et incorporez le rhum. Étalez au pinceau le sirop sur les pêches. Faites chauffer les confitures dans des casseroles séparées ; portez à ébullition puis passez-les. Étalez au pinceau la confiture d'abricots sur les pêches puis faites-les rougir avec la confiture de framboises.

Tamisez un peu de sucre semoule sur les pêches et décorez chacune de deux feuilles d'angélique.

Babas aux graines de pavot

Pour 24 babas
Temps de préparation : 1 h 15
Durée totale : 3 h (temps de levage inclus)

Par baba :
Calories **145**
Protéines **3 g**
Cholestérol **25 mg**
Total des lipides **5 g**
Acides gras saturés **2 g**
Sodium **95 mg**

30 g de levure fraîche ou 1 c. à c. de levure sèche
17,5 cl de lait écrémé, tiède
75 g de sucre roux
300 g de farine panifiable
2 œufs, jaunes et blancs séparés
1 c. à c. d'extrait de vanille
le zeste, râpé, de 1/2 citron
1/8 de c. à c. de poudre de safran
1 c. à s. de vodka
1/4 de c. à c. de sel
60 g de semoule, pas trop fine
75 g de beurre, fondu
30 g d'écorce de citron confite, finement hachée
15 g de graines de pavot
24 demi-pacanes

Sirop citron-vodka

175 g de miel liquide
4 c. à s. de jus de citron, fraîchement pressé
4 c. à s. de vodka

Émiettez la levure fraîche dans le lait, ajoutez 1 cuillerée à soupe de sucre et remuez bien. Laissez reposer 10 mn jusqu'à ce que la surface soit mousseuse. Si vous utilisez de la levure sèche, activez-la selon le mode d'emploi. Incorporez-y 60 g de farine et laissez reposer le mélange dans un endroit tiède 30 mn, jusqu'à ce qu'il ait doublé de volume.

Battez, dans un petit bol, les jaunes d'œufs avec le reste du sucre, la vanille et le zeste de citron. Faites dissoudre le safran dans la vodka et ajoutez-la aux jaunes d'œufs au sucre. Fouettez, dans un autre bol, les blancs d'œufs avec le sel jusqu'à ce qu'ils soient mousseux et forment des monticules légers.

Tamisez le reste de la farine et la semoule dans un grand bol tiède. Versez-y la levure, les jaunes d'œufs et battez jusqu'à ce qu'ils fassent une masse très ferme. Ajoutez, en battant, les deux-tiers des blancs d'œufs puis incorporez délicatement le reste des blancs. Laissez reposer la pâte pendant 10 mn puis pétrissez-la dans le bol pendant 10 mn. Enduisez-en légèrement la surface avec un peu de beurre fondu, couvrez-la d'une pellicule plastique et laissez-la reposer dans un endroit tiède. Quand la pâte a doublé de volume, incorporez-y le reste du beurre fondu, refroidi, en même temps que l'écorce de citron confite et les graines de pavot. Pétrissez-la encore pendant quelques minutes.

Beurrez légèrement et farinez 24 moules à flan de 7,5 cm de diamètre et, en vous servant d'une cuillère à café, laissez tomber la pâte dans chaque moule pour le remplir au tiers. Laissez-les reposer 30 à 45 mn dans un endroit tiède jusqu'à ce que la pâte ait plus que doublé de volume. Préchauffez, pendant ce temps, le four à 190° (thermostat : 5).

Enfournez et faites cuire les babas pendant 10 à 12 mn ou jusqu'à ce qu'une brochette introduite au fond du moule en ressorte propre. Démoulez immédiatement et laissez refroidir brièvement.

Pour faire le sirop, faites chauffer le miel et le jus de citron dans une casserole en matériau inerte. Dès que le mélange est chaud, retirez-le du feu et incorporez la vodka. Taillez les extrémités plus larges, arrondies des babas pour qu'ils puissent tenir à plat sur une assiette. Percez-les en deux ou trois endroits à l'aide d'une brochette puis versez sur chacun un peu de sirop chaud, décorez chaque baba avec une demi-pacane et servez tiède ou froid.

NOTE : *pour varier la présentation, tamisez sur les babas un peu de sucre glace et servez, à côté, du yaourt.*

Babas au citron vert

Pour 10 babas
Temps de préparation : 1 h 30
Durée totale : 3 h 30 (temps de levage inclus)

Par baba :
Calories **220**
Protéines **8 g**
Cholestérol **60 mg**
Total des lipides **7 g**
Acides gras saturés **4 g**
Sodium **110 mg**

15 g de levure fraîche ou 1/2 c. à c. de levure sèche
12,5 cl de lait écrémé, tiédi
1 1/2 c. à s. de sucre roux
250 g de farine panifiable
1/2 c. à c. de sel
2 œufs, battus
60 g de beurre, ramolli

Sirop de citron vert et de gingembre

2 c. à s. de sucre roux
1 1/2 c. à s. de jus de citron vert, fraîchement pressé
4 c. à s. de sirop de gingembre en pot.
1 1/2 c. à s. de cognac

Garniture au fromage blanc et raisins

250 g de fromage blanc maigre
2 c. à s. de miel
2 c. à c. de cognac
1 c. à c. de jus de citron vert, fraîchement pressé
1/2 c. à c. de zeste de citron vert, râpé
1 c. à c. d'extrait de vanille
2 morceaux de 2,5 cm de gingembre au sirop, finement hachés
15 grains de raisin noir ou blanc (ou un mélange des deux), coupés en deux et épépinés

Émiettez la levure dans le lait, ajoutez 1 cuillerée à café de sucre, mélangez bien et laissez reposer 10 à 15 mn jusqu'à ce que le mélange mousse en surface. Si vous utilisez de la levure sèche, activez-la selon le mode d'emploi du fabricant.

Tamisez, dans un grand bol tiédi, la farine et le sel et faites un puits au centre. Versez la levure délayée, les œufs, puis mélangez bien avec une cuillère en bois en incorporant, petit à petit, la farine. En maintenant le bol d'une main, pétrissez la pâte de l'autre en la soulevant et la rabattant vivement dans le bol pendant 7 à 8 mn (le mélange ayant une consistance trop molle ne pourrait pas être pétri selon le procédé habituel). Étalez le beurre ramolli sur la pâte puis couvrez le bol et laissez-le dans un endroit tiède 1 heure, jusqu'à ce que la pâte ait triplé de volume.

Rompez la pâte d'un coup de poing, ajoutez le reste du sucre puis incorporez à la main le beurre et le sucre et pétrissez de nouveau la pâte pendant 2 mn. Beurrez légèrement et farinez dix moules à savarin de 10 cl et remplissez-les à moitié de pâte. Laissez reposer pendant 30 mn, jusqu'à ce que la pâte ait atteint les bords. Préchauffez, entre-temps, le four à 190° (thermostat : 5).

Enfournez et faites cuire les babas pendant 15 mn, jusqu'à ce qu'ils soient dorés et craquants en surface et qu'une brochette introduite au centre en ressorte propre. Retournez-les immédiatement sur une grille.

Préparez le sirop : mettez le sucre avec 2 cuillerées à soupe d'eau dans une petite casserole en matériau inerte, faites bouillir 2 mn, ajoutez le jus de citron vert et le sirop de gingembre et portez à ébullition. Ôtez la casserole du feu et incorporez le cognac. Alors que les babas sont encore tièdes, versez le sirop dans un récipient peu profond assez grand pour les contenir tous sans qu'ils se chevauchent. Mettez-les dedans et retournez-les rapidement jusqu'à ce que le sirop soit absorbé.

Préparez la garniture : battez le fromage blanc dans un bol pour en faire une crème lisse, incorporez le miel, le cognac, le jus et le zeste de citron vert ainsi que la vanille et le gingembre haché. En vous servant d'un couteau-scie bien aiguisé, fendez longitudinalement en deux chaque baba, tartinez de garniture les deux faces coupées et reconstituez-les. Mettez-les dans des caissettes en papier, décorez des demi-grains de raisin et mettez-les au réfrigérateur pour les servir légèrement glacés.

Gâteau aux pommes

Pour 24 personnes
Temps de préparation : 1 h
Durée totale : 3 h (temps de levage inclus)

Calories **100**
Protéines **2 g**
Cholestérol **15 mg**
Total des lipides **2 g**
Acides gras saturés **1 g**
Sodium **40 mg**

10 g de levure fraîche ou 1/3 de c. à c. de levure sèche
12,5 cl de lait écrémé, tiédi
45 g de sucre roux
45 g de beurre, fondu
1 œuf, battu
250 g de farine panifiable
1/2 c. à c. de sel
les graines, moulues, de 4 capsules de cardamome
2 c. à s. de confiture d'abricots

Garniture de pommes au streusel

60 g de farine ordinaire
1 c. à c. de cannelle, moulue
30 g de sucre roux
30 g de beurre, ramolli
400 g de pommes à cuire, pelées et évidées

Émiettez la levure et délayez-la dans un tiers du lait avec 1 cuillerée à café de sucre. Laissez reposer dans un endroit tiède pendant 10 à 15 mn jusqu'à ce qu'elle mousse en surface. Si vous utilisez de la levure sèche, activez-la en appliquant le mode d'emploi du fabricant. Faites dissoudre, pendant ce temps, le reste du sucre dans le reste du lait et ajoutez, en remuant, le beurre et l'œuf.

Tamisez la farine panifiable, le sel et la cardamome moulue dans un grand bol tiédi. Faites un puits au centre et versez dedans la levure et le mélange de lait et d'œuf. En vous servant d'une cuillère en bois, mélangez bien les liquides et incorporez, petit à petit, la farine jusqu'à ce que tous les ingrédients soient bien amalgamés.

Continuez de battre avec la cuillère en bois pendant 3 mn, jusqu'à ce que la pâte soit lisse et légèrement élastique (elle sera encore collante). Couvrez-la d'une pellicule plastique et laissez-la reposer 1 heure dans un endroit tiède, jusqu'à ce qu'elle ait presque triplé de volume.

Streusel : mélangez dans une jatte la farine, le sucre, la cannelle et le beurre en frottant du bout des doigts pour avoir un mélange granuleux. Mettez-le de côté et préchauffez le four à 180° (thermostat : 4). Beurrez légèrement une plaque de cuisson.

Transférez la pâte levée sur un plan de travail fariné et pétrissez-la pendant 2 ou 3 mn jusqu'à ce qu'elle soit lisse. Aplatissez-la un peu, saupoudrez-la de farine et étendez-la au rouleau en un rectangle de 30 × 20 cm. Posez-le sur la plaque de cuisson.

Coupez les pommes en tranches minces. Disposez-les en trois rangées parallèles sur la pâte et répandez le streusel tout autour et entre les rangées de pommes. Enfournez et faites cuire le gâteau pendant 40 à 50 mn. Pendant que le gâteau est encore tiède, délayez la confiture d'abricots dans 2 cuillerées à soupe d'eau et portez-la à ébullition. Enduisez les pommes de ce glaçage et laissez refroidir.

Pâtisseries danoises

Pour 26 pâtisseries
Temps de préparation : 1 h 10
Durée totale : 3 h 15
(temps de réfrigération et de levage inclus)

Calories **75**
Protéines **1 g**
Cholestérol **10 mg**
Total des lipides **4 g**
Acides gras saturés **2 g**
Sodium **20 mg**

7 g de levure fraîche ou 1/4 de c. à c. de levure sèche

250 g de farine panifiable

1/4 de c. à c. de sel

1 c. à c. de sucre semoule

125 g de beurre, glacé

1 blanc d'œuf

Garnitures aux fruits et glaçage

2 figues fraîches, pelées et hachées, ou 2 figues sèches, hachées

4 abricots, pelés, coupés en 2 et dénoyautés

2 nectarines ou 2 pêches, pelées, dénoyautées et coupées en tranches

2 c. à s. de confiture d'abricots

Délayez la levure fraîche dans 10 cl d'eau tiède pour la dissoudre. Si vous utilisez de la levure séchée, activez-la en vous conformant au mode d'emploi du fabricant. Tamisez, dans un bol, la farine, le sel et le sucre. Coupez 30 g de beurre en petits morceaux, ajoutez-les dans le bol et remettez le reste du beurre au réfrigérateur jusqu'au moment de vous en servir.

Frottez, du bout des doigts, les morceaux de beurre dans la farine pour en faire un mélange granuleux. Ajoutez la levure et le blanc d'œuf et remuez bien avec une cuillère en bois pour en faire une pâte souple. Pétrissez-la pendant 10 mn sur une surface légèrement farinée pour avoir une pâte lisse, élastique et non collante. Emballez-la dans un sac en plastique et mettez-la au réfrigérateur 30 mn.

Étendez la pâte en un rectangle de 50 × 20 cm. Posez le reste du beurre entre deux feuilles de papier sulfurisé et étendez-le en un mince rectangle de 30 × 15 cm. Posez le beurre sur la pâte de manière à recouvrir les deux-tiers de sa longueur. Repliez dessus le tiers non beurré et repliez le tout sur la surface beurrée qui reste. Pressez bien avec les mains pour sceller les bords.

Faites faire à la pâte un quart de tour, étendez-la à nouveau en un rectangle de 50 × 20 cm. Pliez-la de nouveau en trois, enveloppez-la d'une pellicule plastique et mettez-la au réfrigérateur pendant 20 mn. Retirez la pellicule plastique, posez la pâte sur un plan de travail, un des petits côtés vers vous et étendez-la en un rectangle de 50 × 20 cm. Pliez-la en trois de nouveau, enveloppez-la d'une pellicule plastique et mettez-la au réfrigérateur pendant 20 mn. Refaites deux fois encore cette série d'opérations consistant à tourner, étendre, plier et réfrigérer la pâte. Étendez la pâte en un rectangle de 45 × 30 cm et coupez-la tranversalement en trois bandes mesurant respectivement 30 × 10 cm, 30 × 15 cm et 30 × 20 cm.

Étalez les figues sur la plus petite, roulez la pâte autour, pour faire une sorte de saucisson, puis coupez en six tranches en forme de roue *(encadré, p. suivante).* Posez les roues sur une plaque de cuisson et couvrez-les d'un linge humide ou d'une pellicule plastique. Coupez la bande de 30 × 15 cm en huit carrés de 7,5 cm, posez un demi-abricot au centre de chacun, et faites des incisions en diagonale allant de chaque coin du carré au bord du demi-abricot. Ramenez, en alternance et dans l'ordre, les coins au centre pour former un moulinet *(encadré, p. suivante).* Posez-les sur la plaque de cuisson et recouvrez-les. Coupez la dernière bande en six carrés de 10 cm puis coupez en deux chaque carré en diagonale pour avoir 12 triangles. Placez 2 tranches de nectarine sur le plus long côté de chaque triangle, enroulez et retroussez les pointes du rouleau pour lui donner la forme d'un croissant *(encadré, p. suivante).* Posez-les sur la plaque de cuisson avec les autres pâtisseries et couvrez.

Laissez-les reposer pendant 40 à 50 mn jusqu'à ce qu'elles aient doublé de volume. Préchauffez le four à 250° (thermostat : 8).

Enfournez et faites cuire les pâtisseries pendant 10 à 15 mn. Faites chauffer, entre-temps, la confiture d'abricots. Passez-la dans une passoire. Transférez les pâtisseries sur une grille ou un plateau, enduisez-les avec le glaçage tiède et laissez-les refroidir.

Roues

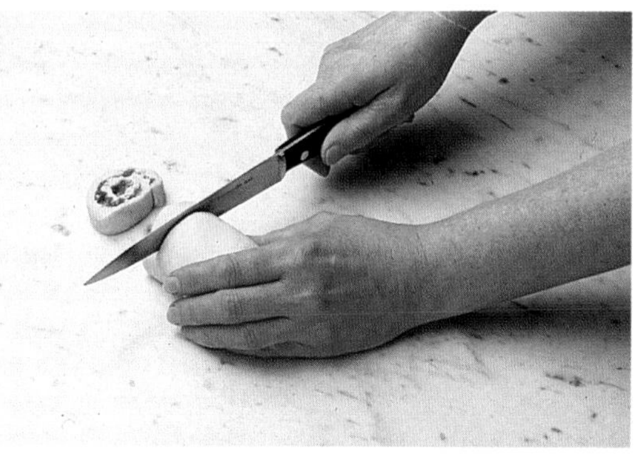

1 *ROULER LA PÂTE AVEC LA GARNITURE. En partant de l'un des petits côtés, roulez la pâte avec la garniture comme pour une bûche. Gardez le rouleau bien serré et assurez-vous que les extrémités sont bien alignées et droites.*

2 *COUPER EN TRANCHES. Posez le rouleau, soudure au-dessous, sur un plan de travail et coupez-le, à l'aide d'un couteau bien aiguisé, en 6 tranches égales.*

Moulinets

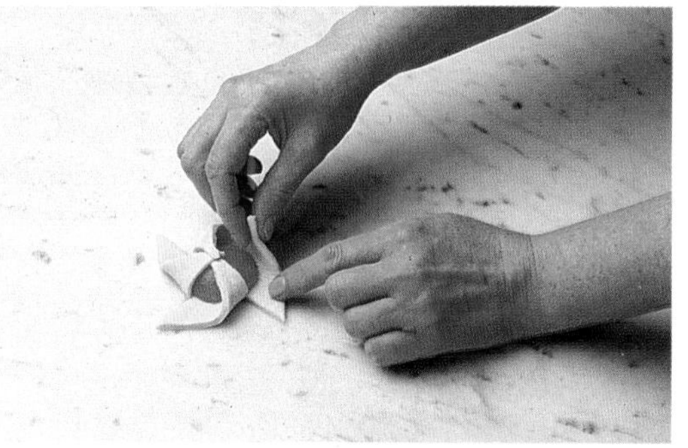

1 *INCISER DES LIGNES DIAGONALES. Posez un demi-abricot au centre d'un carré de pâte de 7,5 cm de côté puis, avec un couteau bien aiguisé, incisez quatre diagonales, allant de chaque coin au bord correspondant du demi-abricot, de manière à avoir quatre triangles qui se rejoignent au centre.*

2 *PLIER EN RAMENANT LES SOMMETS. En allant toujours dans le même sens, ramenez en alternance les sommets sur l'abricot au centre. Pressez bien le dernier sommet sur les autres pour les faire adhérer.*

Croissants

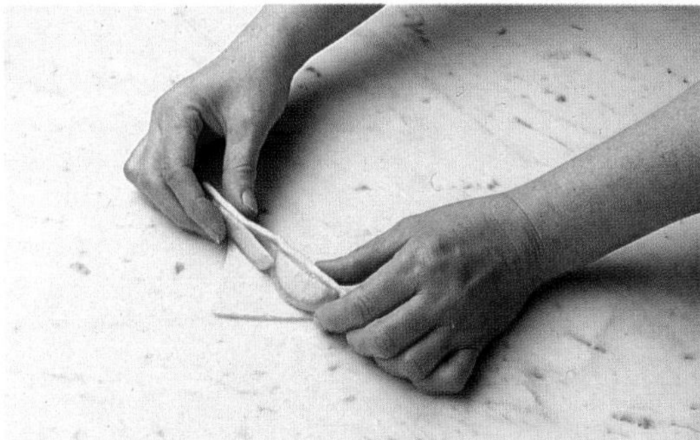

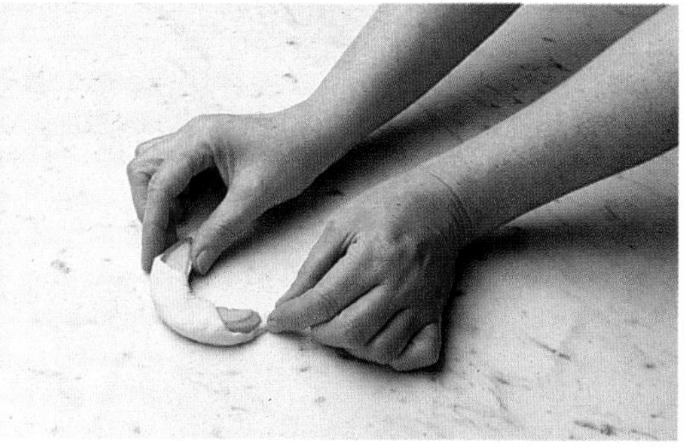

1 *ENVELOPPER LES FRUITS. Posez deux tranches de nectarine sur le plus long côté du triangle de pâte en les faisant se chevaucher légèrement. En tenant ensemble la pâte et le fruit, roulez en allant de la base au sommet du triangle.*

2 *INCURVER LE ROULEAU EN FORME DE CROISSANT. Posez le rouleau, soudure au-dessous, sur le plan de travail. Retournez doucement les deux extrémités pour former un croissant.*

Savarins aux framboises

Pour 10 savarins
Temps de préparation : 30 mn
Durée totale : 2 h (temps de levage inclus)

Par savarin :
Calories **160**
Protéines **3 g**
Cholestérol **40 mg**
Total des lipides **6 g**
Acides gras saturés **3 g**
Sodium **50 mg**

7 g de levure fraîche ou 1/4 de c. à c. de levure sèche
150 g de farine ordinaire
75 g de sucre semoule
1/4 de c. à c. de sel
1 œuf
1 blanc d'œuf
60 g de beurre, ramolli
1 gousse de vanille ou 1/4 de c. à c. d'extrait
4 c. à s. d'alcool de framboises ou de kirsch
175 g de framboises fraîches

Émiettez la levure fraîche sur 2 cuillerées à soupe d'eau tiède et laissez reposer 5 mn ou jusqu'à ce que la levure soit dissoute. Si vous utilisez de la levure séchée, activez-la selon le mode d'emploi.

Tamisez la farine dans un grand bol, incorporez le sel, 15 g de sucre et faites un puits au centre. Battez légèrement l'œuf entier et le blanc d'œuf et versez-les dans le puits avec la levure. Avec une cuillère en bois, battez les ingrédients pendant 4 ou 5 mn, jusqu'à obtenir une pâte lisse légèrement élastique.

Couvrez le bol d'une pellicule plastique légèrement huilée et mettez-le dans un endroit tiède pendant 30 mn, jusqu'à ce que la pâte ait doublé de volume. Posez-la sur un plan de travail et incorporez le beurre en travaillant avec les mains. Pétrissez-la pendant 2 ou 3 mn jusqu'à ce qu'elle soit lisse.

Préchauffez le four à 200° (thermostat : 6) et enduisez de beurre fondu l'intérieur de dix moules à savarin de 7,5 cm. Répartissez la pâte dans chacun d'eux et laissez-les dans un endroit tiède pendant 20 à 30 mn jusqu'à ce que la pâte soit montée jusqu'aux bords des moules. Posez-les sur une plaque de cuisson, enfournez et faites cuire les savarins pendant 15 mn, jusqu'à ce qu'ils soient bien gonflés et dorés. Démoulez-les sur une grille posée sur un plateau.

Faites dissoudre, dans une petite casserole en matériau inerte, le reste du sucre dans 15 cl d'eau. Portez à ébullition puis baissez le feu, ajoutez la vanille et laissez frémir pendant 5 mn. Laissez refroidir et ajoutez l'alcool de framboises ou le kirsch.

Versez à la cuillère le sirop sur les savarins ; récupérez et versez aussi le sirop qui aurait coulé dans le plateau. Remplissez le centre de chacun de framboises fraîches et servez.

Mini-kouglofs

LE KOUGLOF TRADITIONNEL EST CUIT DANS UN MOULE CANNELÉ EN FORME D'ANNEAU, CETTE FORME ASSURANT AU CONTENU UNE CUISSON BIEN RÉPARTIE. ICI, LA CHEMINÉE CENTRALE N'EST PAS NÉCESSAIRE.

Pour 12 kouglofs
Temps de préparation : 50 mn
Durée totale : 4 h (temps de levage inclus)

Par kouglof :
Calories **165**
Protéines **4 g**
Cholestérol **50 mg**
Total des lipides **5 g**
Acides gras saturés **3 g**
Sodium **20 mg**

45 g de raisins secs, sans pépins
15 g de levure fraîche ou 1/2 c. à c. de levure sèche
8 cl de lait écrémé, tiédi
275 g de farine panifiable
1/8 de c. à c. de sel
30 g de sucre vanillé
2 œufs, battus
2 c. à s. de rhum ambré (facultatif)
60 g de beurre, coupé en dés et ramolli
30 g de mélange de zestes confits, hachés
2 c. à c. de zeste d'orange, finement râpé
2 c. à c. de zeste de citron, finement râpé
sucre glace, pour la décoration

Mettez les raisins secs dans un petit bol, versez dessus de l'eau bouillante et laissez tremper pendant 30 mn, ou plus. Émiettez la levure fraîche dans le lait et laissez-la dans un endroit tiède pendant 15 à 20 mn, jusqu'à ce qu'elle mousse. Si vous utilisez de la levure sèche, activez-la selon le mode d'emploi.

Tamisez dans un grand bol la farine et le sel, ajoutez, en remuant, le sucre vanillé et faites un puits au centre. Versez-y les œufs, le rhum (si vous en utilisez) et la levure. Mélangez bien tous les ingrédients, avec une cuillère en bois ou à la main, pour faire une pâte lisse. Posez-la sur une surface légèrement farinée et pétrissez-la pendant 15 mn jusqu'à ce qu'elle soit ferme et élastique. Incorporez, petit à petit, le beurre dans la pâte en pressant d'abord des petits morceaux de beurre entre les doigts puis en les pressant dans la pâte. Continuez jusqu'à ce que tout le beurre ait été incorporé puis pétrissez la pâte pendant 2 ou 3 mn. Mettez-la dans un bol très légèrement huilé, couvrez le bol d'une pellicule plastique et laissez reposer pendant 1 1/2 à 2 heures, jusqu'à ce que la pâte ait doublé de volume.

Égouttez bien les raisins secs puis mélangez-les avec les zestes confits et les zestes d'orange et de citron. Beurrez légèrement douze moules profonds, cannelés, de 6 à 7,5 cl de contenance. Mettez la pâte sur un plan de travail légèrement fariné et incorporez-y le mélange de fruits en la travaillant avec les mains et en les répartissant uniformément. Divisez la pâte en douze portions et mettez-en une dans chaque moule. Couvrez les moules d'une pellicule plastique et laissez reposer 30 mn ou jusqu'à ce que la pâte soit bien levée. Préchauffez, pendant ce temps, le four à 200° (thermostat : 6).

Réduisez la température du four à 190° (thermostat : 5), enfournez et faites cuire les kouglofs pendant 20 mn, jusqu'à ce que la surface soit dorée. Retirez-les du four et démoulez-les sur une grille pour les laisser refroidir. Tamisez sur le dessus un peu de sucre glace, juste avant de servir.

3 *Ces tuiles, moulées quand elles sont encore chaudes et souples, deviendront de croustillants cornets en refroidissant (recette, p. 116)*

Confiseries délicates

Un assortiment de délicieux petits fours, servi avec le café, après dîner, risque de pousser à la gourmandise le convive le plus soucieux de son régime. C'est pourquoi, si vous avez choisi de les intégrer à votre repas, il est recommandé de les substituer à un dessert ordinaire. Ils peuvent aussi être servis l'après-midi avec le thé. Vous pouvez les conserver 2 ou 3 jours dans un récipient étanche au réfrigérateur, prêts à être servis à des visiteurs inattendus ou joliment enveloppés dans un emballage cadeau.

Comme son nom l'indique, le petit four est une petite friandise cuite au four. Dans la pâtisserie française traditionnelle, ces bouchées sont classées en deux catégories : les riches et les secs. La première comporte des petites merveilles comme les génoises enrobées d'un glaçage fondant et décorées de fleurs givrées et de motifs en chocolat. Les gâteaux à base de génoise pauvre en lipides avec un mince glaçage sont attrayants et savoureux.

Les petits fours secs ont l'aspect et la consistance de biscuits. Vous trouverez dans les pages qui suivent des variantes de macarons, de florentins, de tuiles au cognac et de sablés. Entre ces deux catégories principales, vous trouverez des gâteaux relativement pauvres en sucre, qui séduiront les amateurs de pâtisseries peu sucrées.

Les confiseries et les fruits glacés au caramel ont également leur place parmi les petits fours. On a mis, dans ce chapitre, l'accent sur les confiseries à base de fruits frais et secs, légèrement enduits de caramel ou trempés dans du chocolat fin.

La plupart des recettes sont simples. Faire fondre du chocolat et préparer du caramel sont néanmoins des opérations qui exigent des soins et une certaine attention. Quand vous faites fondre du chocolat, choisissez un bol qui s'adapte parfaitement aux bords de la casserole pour éviter les éclaboussures d'eau dans le chocolat car une seule goutte d'eau le rendrait granuleux. Évitez de trop chauffer car cela provoquerait l'apparition de taches blanches de beurre de cacao quand le chocolat durcit.

Avant de procéder à la préparation du caramel, disposez sur la table tous les ingrédients et le matériel nécessaires car, une fois que le sirop est prêt, il faut l'étaler rapidement avant qu'il commence à durcir. Pour réduire le risque de cristallisation du caramel, assurez-vous que chaque particule de sucre est bien dissoute avant que le sirop commence à bouillir et cessez de remuer dès le début de l'ébullition. L'humidité empêche le caramel de durcir et le rend collant. Évitez donc, dans la mesure du possible, de faire du caramel dans une atmosphère humide.

Petits gâteaux glacés

Pour 30 gâteaux
Temps de préparation : 1 h 25
Durée totale : 1 h 40

Par gâteau :
Calories **95**
Protéines **1 g**
Cholestérol **25 mg**
Total des lipides **3 g**
Acides gras saturés **1 g**
Sodium **10 mg**

3 œufs
90 g de sucre semoule
90 g de farine ordinaire
2 c. à c. de café fort, refroidi
1/2 c. à c. d'essence d'amandes
1 c. à c. de poudre de cacao, tamisée
1 c. à s. de noix de coco séchée

Glaçages et garnitures

100 g de chocolat à croquer, cassé en morceaux
3 violettes cristallisées, grossièrement hachées
15 g de noisettes, grillées, pelées (encadré, p. 29), et hachées
250 g de sucre glace
15 g de beurre, fondu
1 c. à c. de jus de citron, fraîchement pressé
le zeste, râpé, de 1/2 orange, plus 1 c. à c. de jus
2 c. à c. de café fort, refroidi
15 g d'amandes, effilées, grillées
1/2 clémentine confite, ou tout autre fruit confit, émincée
15 g de copeaux de chocolat à croquer (encadré, p. 12)

Préchauffez le four à 180° (thermostat : 4). Beurrez et farinez légèrement 30 moules à tartelettes de 7,5 cm de diamètre, peu profonds et de formes variées.

Mettez les œufs et le sucre semoule dans un grand bol posé au-dessus d'une casserole d'eau chaude, mais non bouillante, sur feu doux. Fouettez, à l'aide d'un batteur électrique, pour avoir un mélange épais et pâle. Éloignez le bol de la source de chaleur et continuez de battre jusqu'à ce que le mélange soit refroidi et qu'il fasse le ruban. Tamisez légèrement la farine à la surface puis incorporez-la délicatement.

Divisez le mélange en cinq parts égales. En laissant l'une d'elles telle quelle, incorporez, dans chacune des autres parts, un des quatre arômes : café, essence d'amandes, cacao et noix de coco. Répartissez la pâte dans les moules, enfournez et faites cuire les gâteaux 10 à 15 mn. Démoulez délicatement et laissez-les refroidir sur une grille.

Pour glacer les gâteaux non aromatisés et les gâteaux au café, mettez le chocolat avec 6 cuillerées à soupe d'eau dans un bol posé au-dessus d'une casserole d'eau frémissante. Quand il est fondu, laissez-le refroidir 5 mn, jusqu'à ce qu'il ait légèrement épaissi. Placez un gâteau sur une spatule et, en la tenant au-dessus du bol, répandez dessus le chocolat à l'aide d'une cuillère. Posez le gâteau glacé sur une feuille de papier sulfurisé et recommencez l'opération pour glacer tous les gâteaux non aromatisés et les gâteaux au café. Saupoudrez ces derniers de noisettes et décorez les autres avec un morceau de violette cristallisée.

Pour glacer les autres gâteaux, mélangez le sucre glace avec le beurre fondu et 3 cuillerées à soupe d'eau tiède. Divisez ce mélange en trois parts : ajoutez à l'une le jus de citron, à la deuxième le zeste d'orange et à la troisième le café. En utilisant le même procédé que pour le chocolat, recouvrez les gâteaux aux amandes de glaçage au citron, les gâteaux à la noix de coco de glaçage à l'orange et les gâteaux au chocolat de glaçage au café. Décorez les premiers avec les amandes effilées, les seconds avec les clémentines confites et les troisièmes avec les copeaux en chocolat.

Carrés au café turc et aux fruits

Pour 70 carrés
Temps de préparation : 30 mn
Durée totale : 1 h 30

Par carré :
Calories **35**
Protéines **1 g**
Cholestérol **5 mg**
Total des lipides **1 g**
Acides gras saturés **0 g**
Sodium **25 mg**

250 g de farine ordinaire
1 c. à c. de cannelle, moulue
1/2 c. à c. de coriandre, moulue
1 c. à s. de café en grains, moulu très fin
100 g de cassonade
100 g de margarine polyinsaturée, coupée en dés
1 œuf, battu
2 grosses bananes, pelées et émincées longitudinalement
175 g d'abricots frais, dénoyautés et émincés
1/2 c. à c. de bicarbonate de soude
1/2 c. à c. de levure chimique
25 cl de yaourt maigre nature
1 c. à s. de sucre glace

Préchauffez le four à 200° (thermostat : 6).

Tamisez la farine, la cannelle, la coriandre et le café dans un grand bol. Ajoutez la cassonade puis la margarine en frottant avec les doigts pour avoir un mélange granuleux ; divisez-la en deux portions et mettez-les dans des bols séparés. Ajoutez à l'une la moitié de l'œuf battu et mélangez avec les mains pour lui donner une consistance plus grossière et légèrement collante. Transférez-la dans un moule de 25 × 18 cm, profond d'au moins 4 cm, en pressant bien sur le fond. Disposez dessus des rangées de bananes et recouvrez avec des rangées d'abricots.

Incorporez le bicarbonate de soude dans l'autre mélange, mélangez la levure et l'œuf qui reste et ajoutez-les avec le yaourt. Remuez bien avec une cuillère en bois pour avoir un mélange lisse et versez-le dans le moule de manière à recouvrir totalement les fruits. Enfournez et faites cuire le gâteau pendant 30 à 40 mn, jusqu'à ce qu'il soit ferme au toucher. Retirez-le du four et laissez-le refroidir dans le moule.

Tamisez le sucre glace sur le gâteau refroidi et coupez-le en carrés de 2,5 cm de côté.

NOTE : *pour que la surface de vos carrés soit plus croustillante, saupoudrez la surface du gâteau avec 1 cuillerée à soupe de cassonade avant de le mettre au four (dans ce cas, vous n'aurez pas besoin de les saupoudrer de sucre glace). Les carrés se conservent 2 jours au réfrigérateur.*

Carrés aux fruits confits

Pour 72 carrés
Temps de préparation : 1 h
Durée totale : 4 h

Par carré :
Calories **45**
Protéines **traces**
Cholestérol **10 mg**
Total des lipides **1 g**
Acides gras saturés **traces**
Sodium **15 mg**

l'écorce de 1 gros pamplemousse, à peau épaisse
175 g de sucre roux
125 g de dattes, dénoyautées, coupées en morceaux de 1 cm
100 g de cerises confites, coupées en 2
60 g de figues vertes ou d'angélique, confites, coupées en lanières
100 g de noix, décortiquées, grossièrement hachées
125 g de raisins secs, sans pépins
3 œufs, battus
125 g de cassonade
1 c. à c. d'extrait de vanille
le zeste, râpé, de 1 citron
100 g de farine ordinaire
1 c. à c. de levure chimique
1 c. à c. de cannelle, moulue
1/2 c. à c. de gingembre, moulu
3 c. à s. de cognac ou de whisky
175 g de confiture d'abricots

Mettez la peau du pamplemousse dans une casserole, couvrez d'eau froide, portez lentement à ébullition, puis égouttez. Recommencez l'opération trois fois encore pour éliminer l'amertume. Couvrez-la de nouveau d'eau froide, portez à ébullition et laissez frémir 20 à 30 mn pour qu'elle soit tendre sans se défaire. Égouttez et réservez l'eau.

Préparez un sirop en faisant dissoudre, à feu doux, le sucre dans 12,5 cl de l'eau réservée. Ajoutez la peau et faites-la cuire doucement pendant 20 à 30 mn, à découvert, jusqu'à ce qu'elle soit tout à fait translucide. Retirez-la et laissez-la reposer sur une grille pendant quelques heures pour qu'elle sèche.

Préchauffez le four à 170° (thermostat : 3). Mélangez, dans un grand bol, les dattes, les cerises, les figues, les noix et les raisins secs puis mélangez dans un autre bol les œufs battus avec la cassonade, la vanille et le zeste de citron. Tamisez la farine avec la levure, la cannelle et le mélange d'épices et incorporez-les dans les œufs à la cassonade. Ajoutez cette pâte aux fruits et remuez bien afin que chaque morceau de fruit soit légèrement enrobé de pâte.

Chemisez de papier sulfurisé un moule carré de 25 cm de côté ou rectangulaire de 30 × 22 cm peu profond, versez dedans la pâte, égalisez la surface, enfournez et faites cuire le gâteau pendant 1 heure ou jusqu'à ce que la surface soit ferme. Retirez-le du four, piquez toute la surface avec une fourchette et arrosez de cognac puis laissez-le refroidir 15 mn avant de le démouler sur une grille pour le laisser refroidir complètement.

Coupez le gâteau en carrés de 2,5 cm. Faites chauffer la confiture à feu doux jusqu'à ce qu'elle soit liquide, passez-la à travers un tamis et étalez-la, au pinceau, sur la surface et les côtés des carrés.

NOTE : *ce gâteau sera plus moelleux si vous le laissez reposer deux jours, enveloppé dans du papier d'aluminium, avant de le découper. Si vous servez ces friandises sans fourchette, contentez-vous de les enduire de 60 g de confiture pour les rendre moins poisseuses, mangées avec les doigts. Les carrés pourront être conservés jusqu'à 4 semaines si vous les gardez dans un récipient étanche.*

Bouchées de chocolat

Pour 36 bouchées
Temps de préparation : 40 mn
Durée totale : 50 mn

Par bouchée :
Calories **65**
Protéines **1 g**
Cholestérol **0 mg**
Total des lipides **2 g**
Acides gras saturés **1 g**
Sodium **5 mg**

60 g de chocolat à croquer

125 g d'amandes, blanchies, grillées et finement moulues

125 g de noisettes, décortiquées, grillées, pelées (encadré, p. 29) et finement moulues

90 g de semoule de maïs

90 g de sucre glace

90 g de sucre semoule

1 c. à s. de miel liquide

2 blancs d'œufs

5 c. à s. de confiture d'abricots, sans adjonction de sucre

Préchauffez le four à 220° (thermostat : 7) et chemisez de papier sulfurisé 2 plaques de cuisson.

Cassez le chocolat en petits morceaux et faites-les fondre dans un bol placé sur une casserole d'eau frémissante. Mettez dans un grand bol les amandes, les noisettes, la farine de maïs, le sucre glace, le sucre semoule et le miel. Versez dessus le chocolat fondu et remuez bien, puis ajoutez les œufs et remuez encore pour avoir une pâte très ferme.

Transférez ce mélange dans une poche à douille étoilée de 5 mm et dressez, sur les plaques de cuisson, 72 coquilles de 4 cm de diamètre.

Enfournez et faites cuire les coquilles pendant 8 à 10 mn avant de les transférer sur une grille et de les laisser refroidir. Accolez-les, deux par deux, par la base en intercalant une couche de confiture.

NOTE : *pour faire griller les amandes, mettez-les sous un gril chaud pendant 2 ou 3 mn jusqu'à ce qu'elles dorent, en les retournant ou secouant constamment.*

Losanges aux fruits glacés

CETTE RECETTE ÉVOQUE CELLE DU FAMEUX FLORENTIN, MAIS ELLE ÉLIMINE LE TRADITIONNEL REVÊTEMENT EN CHOCOLAT ET REMPLACE LA CRÈME FRAÎCHE PAR DU YAOURT CRÉMEUX.

Pour 30 losanges
Temps de préparation : 25 mn
Durée totale : 45 mn

Par losange :
Calories **70**
Protéines **1 g**
Cholestérol **5 mg**
Total des lipides **4 g**
Acides gras saturés **1 g**
Sodium **10 mg**

45 g de beurre
125 g de yaourt grec, crémeux
90 g de sucre roux
125 g d'amandes, blanchies, dont 90 g hachés, le reste effilé
60 g de cerises confites, coupées en 4
45 g de clémentine confite, hachée
45 g de figue confite, hachée
45 g de prune confite, hachée
30 g d'écorce d'orange cristallisée, finement hachée
60 g de farine ordinaire, tamisée

Préchauffez le four à 180° (thermostat : 4) et chemisez de papier sulfurisé le fond d'un moule à génoise de 32 × 22 cm.

Faites chauffer doucement, dans une casserole, le beurre, le yaourt et le sucre jusqu'à ce que le beurre soit fondu et le sucre dissous. Retirez la casserole du feu et ajoutez dedans, en remuant, les amandes hachées et effilées, les fruits confits, l'écorce d'orange cristallisée et la farine. En vous servant d'une spatule en métal, étalez uniformément ce mélange dans le moule, enfournez et faites-le cuire pendant 20 à 25 mn.

Laissez-le refroidir un peu avant de le démouler sur un plan de travail. Retirez le papier sulfurisé et découpez en petits losanges avant de servir.

Petits fours aux amandes kumquats et gingembre

Pour 30 petits fours
Temps de préparation : 30 mn
Durée totale : 50 mn

Par petit four :
Calories **60**
Protéines **1 g**
Cholestérol **0 mg**
Total des lipides **4 g**
Acides gras saturés **1 g**
Sodium **5 mg**

125 g de sucre semoule, plus 2 c. à c. pour le glaçage
2 blancs d'œufs, légèrement battus
175 g d'amandes, moulues
le zeste, finement râpé, et le jus, filtré, de 1 orange
1/4 de c. à c. d'extrait de vanille
5 kumquats, coupés en tranches et épépinés
2 c. à c. de gingembre au sirop, coupé en dés

Préchauffez le four à 180° (thermostat : 4) et chemisez de papier sulfurisé une plaque de cuisson.

Mélangez, dans un grand bol, les 125 g de sucre avec les blancs d'œufs, les amandes moulues, le zeste d'orange et l'extrait de vanille pour en faire une pâte lisse. Transférez-la dans une poche à douille étoilée de 2 cm et dressez 30 petites étoiles sur le papier sulfurisé. Décorez chaque étoile avec une tranche de kumquat et un dé de gingembre, enfournez et faites cuire 20 mn jusqu'à ce que les étoiles soient bien dorées.

Préparez, pendant ce temps, le glaçage : faites chauffer doucement dans une petite casserole le jus d'orange avec 2 cuillerées à café de sucre semoule, jusqu'à ce que le sucre soit dissous, puis passez à feu vif et faites bouillir rapidement le liquide pendant 3 ou 4 mn jusqu'à ce qu'il soit sirupeux.

Étalez le glaçage, au pinceau, sur le kumquat et le gingembre alors que les petits fours sont encore tièdes. Laissez refroidir avant de servir.

Fers à cheval chocolatés

Pour 30 pièces
Temps de préparation : 30 mn
Durée totale : 1 h

Par pièce :
Calories **100**
Protéines **1 g**
Cholestérol **25 mg**
Total des lipides **5 g**
Acides gras saturés **3 g**
Sodium **75 mg**

125 g de beurre
100 g de sucre glace, tamisé
2 jaunes d'œufs
1 c. à c. d'extrait de vanille
175 g de farine ordinaire
90 g de farine de maïs
45 g de chocolat à croquer, cassé en morceaux
45 g de chocolat blanc, cassé en morceaux

Préchauffez le four à 170° (thermostat : 3) et chemisez de papier sulfurisé 2 plaques de cuisson.

Battez le beurre et le sucre dans un grand bol jusqu'à obtention d'une crème légère et mousseuse. Ajoutez, en battant toujours, les jaunes d'œufs et l'extrait de vanille, tamisez dessus les farines et continuez de battre jusqu'à ce que tous les ingrédients soient bien mélangés.

Prenez un petit morceau de pâte et roulez-le entre les paumes en un boudin de 1 cm d'épaisseur. Coupez ce boudin en tronçons de 10 cm, incurvez chacun en forme de fer à cheval et posez-le sur une des plaques de cuisson. Recommencez l'opération avec le reste de la pâte en veillant à espacer largement les fers à cheval sur les plaques de cuisson où ils vont s'étaler. Vous devez en avoir 30 en tout.

Enfournez et faites cuire les fers à cheval pendant 15 à 20 mn, jusqu'à ce qu'ils soient légèrement dorés. Transférez-les délicatement sur une grille pour les laisser tout à fait refroidir.

Faites fondre le chocolat noir et le chocolat blanc dans des bols séparés placés chacun au-dessus d'une casserole d'eau frémissante. Plongez les extrémités de la moitié des fers à cheval dans le chocolat noir et les extrémités des autres dans le chocolat blanc. Posez-les sur un plateau recouvert de papier sulfurisé et laissez le chocolat durcir.

Macarons à la ganache

DANS CETTE VARIANTE PAUVRE EN GRAISSES DE LA GANACHE TRADITIONNELLE, FAITE DE CHOCOLAT FONDU ET DE CRÈME DOUBLE, ON A REMPLACÉ LA CRÈME PAR DU YAOURT.

Pour 16 macarons
Temps de préparation : 30 mn
Durée totale : 1 h 15

Par macaron :
Calories **80**
Protéines **2 g**
Cholestérol **0 mg**
Total des lipides **4 g**
Acides gras saturés **1 g**
Sodium **10 mg**

125 g d'amandes, moulues
90 g de sucre semoule
1/2 c. à c. d'essence d'amandes
2 blancs d'œufs
30 g de chocolat à croquer
1 c. à s. de yaourt grec, crémeux
1 c. à c. de sucre glace

Préchauffez le four à 180° (thermostat : 4) et chemisez de papier sulfurisé une grande ou deux petites plaques de cuisson.

Mélangez bien, dans un grand bol, le sucre semoule et les amandes. Battez légèrement, dans un petit bol, en mélange mousseux, l'essence d'amandes avec 1 blanc d'œuf ; versez ce mélange dans le sucre aux amandes. Combinez le tout en une pâte lisse et transférez-la à la cuillère dans une poche à douille simple, de 1,5 cm. Dressez 32 petites rondelles sur les plaques de cuisson, en les espaçant de 1 cm. Battez légèrement à la fourchette le deuxième blanc d'œuf dans un petit bol, juste pour le défaire. Enduisez chaque rondelle de blanc d'œuf, en aplatissant toutes les aspérités.

Enfournez et faites cuire les macarons 10 à 15 mn pour les dorer légèrement. Retirez-les du four et laissez-les refroidir 1 ou 2 mn sur la plaque avant de les détacher du papier et de presser du doigt la face plate de chacun pour faire une petite encoche. Mettez-les sur une grille et laissez-les refroidir.

Préparez la crème : faites fondre le chocolat dans un bol posé au-dessus d'une casserole d'eau frémissante. Retirez le bol du feu et ajoutez le yaourt en remuant. Mettez au réfrigérateur 5 à 10 mn jusqu'à ce que la crème commence à épaissir.

Accolez les macarons par paires, en intercalant la crème, et remettez-les sur la grille. Laissez-les reposer 5 mn dans un endroit frais pour que la crème se consolide. Tamisez légèrement le sucre glace sur les macarons et placez-les dans des caissettes à petits fours, avant de servir.

NOTE : *les macarons fourrés pourront être conservés pendant 5 ou 6 jours dans un récipient étanche.*

Petits fours aux figues et à l'orange

Pour 28 petits fours
Temps de préparation : 40 mn
Durée totale : 1 h

Par petit four :
Calories **45**
Protéines **traces**
Cholestérol **traces**
Total des lipides **3 g**
Acides gras saturés **1 g**
Sodium **10 mg**

30 g de beurre
30 g de margarine polyinsaturée
le zeste, finement râpé, de 1 orange
30 g de miel liquide
1 blanc d'œuf
60 g d'amandes, moulues
30 g de maïzéna, tamisée
30 g de farine ordinaire, tamisée
30 g de dattes, dénoyautées et hachées
60 g de figues, hachées
30 g d'écorce d'orange confite, hachée
sucre glace (facultatif)
fruits confits, fruits secs et écorce d'orange confite
pistaches, décortiquées, pelées et hachées (facultatif)

Préchauffez le four à 190° (thermostat : 5) et beurrez très légèrement 28 moules à petits fours.

Mettez dans un grand bol le beurre, la margarine, le zeste d'orange et le miel, battez bien pour avoir un mélange léger et mousseux. En battant toujours, ajoutez petit à petit le blanc d'œuf, puis incorporez les amandes, la maïzéna, la farine ordinaire, les dattes, les figues et l'écorce hachée.

Répartissez ce mélange crémeux dans les moules et égalisez la surface avec un couteau à lame arrondie. Posez-les sur une plaque de cuisson, enfournez et faites cuire les petits fours pendant 5 à 10 mn, jusqu'à ce qu'ils soient bien levés, légèrement dorés et fermes au toucher. Démoulez doucement sur une grille et laissez refroidir.

Servez-les dans des caissettes, tels quels, ou décorés de sucre glace, de fruits confits ou séchés, d'écorce confite ou de pistaches hachées.

NOTE : *pour peler les pistaches, jetez-les dans de l'eau bouillante pendant 1 mn, puis égouttez-les bien, enveloppez-les dans une serviette et frottez-les vigoureusement.*

Petits fours aux abricots et aux noisettes

CETTE RECETTE VOUS PERMETTRA D'UTILISER LES CHUTES DE GÉNOISE QUE VOUS AUREZ CONSERVÉES APRÈS AVOIR FAIT LES GÂTEAUX DU 2e CHAPITRE.

Pour 24 petits fours
Temps de préparation : 20 mn
Durée totale : 1 h 20 (temps de réfrigération inclus)

Par petit four :
Calories **35**
Protéines **1 g**
Cholestérol **10 mg**
Total des lipides **2 g**
Acides gras saturés **0 g**
Sodium **20 mg**

125 g de génoise (recette, p. 11) ou chutes de gâteaux du même type
60 g d'abricots secs, finement hachés
30 g de noisettes, décortiquées, pelées, grillées (encadré, p. 29) et finement hachées ou grossièrement moulues
2 c. à s. de liqueur à l'orange
2 c. à s. de confiture d'abricots, sans adjonction de sucre
2 c. à c. de sucre glace

Mettez la génoise dans un mixeur pour la réduire en miettes. Mélangez les miettes dans un grand bol avec les abricots, les noisettes, la liqueur à l'orange et la confiture d'abricots.

Prenez ce mélange dans les mains, pressez et roulez-le entre les paumes en un long et mince boudin. Aplatissez-en légèrement le dessus et les côtés ; coupez-le en 24 tranches. Posez-les à plat sur un plan de travail et tamisez dessus le sucre glace.

Placez chaque tranche dans une caissette, mettez-les au réfrigérateur 1 heure au moins.

Petits fours aux abricots et chocolat

Pour 40 petits fours
Temps de préparation : 1 h
Durée totale : 2 h (temps de réfrigération inclus)

Par petit four :
Calories **70**
Protéines **1 g**
Cholestérol **15 mg**
Total des lipides **4 g**
Acides gras saturés **2 g**
Sodium **5 mg**

150 g de farine ordinaire
30 g de sucre glace
90 g de beurre, coupé en dés
2 jaunes d'œufs
125 g d'amandes, moulues
60 g de sucre semoule
90 g d'abricots secs, finement hachés
1 c. à s. de liqueur à l'abricot
1/2 blanc d'œuf, légèrement battu
2 c. à s. de confiture d'abricots
45 g de chocolat à croquer, cassé en morceaux

Tamisez dans un grand bol la farine et le sucre glace, ajoutez le beurre en frottant avec les doigts pour obtenir un mélange granuleux. Ajoutez les jaunes d'œufs et mélangez à l'aide d'un couteau à lame arrondie pour avoir une pâte assez ferme. Pétrissez-la très légèrement jusqu'à ce qu'elle soit lisse, enveloppez-la dans une pellicule plastique et mettez-la au réfrigérateur pendant 30 mn. Graissez une grande ou deux petites plaques de cuisson.

Étalez la pâte sur 3 mm d'épaisseur sur une surface légèrement farinée et piquez toute la surface avec une fourchette. En vous servant d'un emporte-pièce cannelé de 5,5 cm de diamètre, découpez des rondelles de pâte et disposez-les sur les plaques de cuisson. Pétrissez de nouveau et étalez au rouleau les chutes, piquez la surface et découpez d'autres rondelles. Recommencez l'opération jusqu'à épuisement de la pâte : vous aurez alors 40 rondelles. Mettez-les au réfrigérateur pendant 30 mn. Préchauffez le four à 190° (thermostat : 5).

Enfournez les petits fours pendant 10 à 12 mn. Transférez-les sur une grille et laissez-les refroidir.

Mettez dans un grand bol les amandes, le sucre semoule et les abricots et mélangez bien avant d'incorporer la liqueur à l'abricot et juste ce qu'il faut de blanc d'œuf pour avoir une pâte ferme. Pétrissez cette pâte jusqu'à ce qu'elle soit lisse puis étendez-la au rouleau sur 3 mm d'épaisseur et découpez dedans des rondelles en vous servant d'un emporte-pièce simple de 4,5 cm de diamètre. Pétrissez et étendez les chutes de pâte, découpez dedans d'autres rondelles jusqu'à épuisement de la pâte, ce qui devrait donner 40 rondelles.

Faites chauffer la confiture d'abricots jusqu'au point d'ébullition puis passez-la au tamis avant d'en étaler une mince couche au pinceau sur chaque fond de petit four ; posez dessus une rondelle de pâte aux abricots en pressant bien pour la mettre en place. Rangez les petits fours sur des grilles.

Faites fondre le chocolat dans un petit bol placé au-dessus d'une casserole d'eau frémissante. Confectionnez une poche en papier paraffiné *(encadré, p. 13)* et mettez-y le chocolat fondu. Repliez le sommet, coupez la pointe de la poche et servez-vous-en pour décorer chaque petit four.

Petits fours aux pistaches et aux amandes

CES PETITS FOURS SONT UN DÉLICIEUX ACCOMPAGNEMENT DU CAFÉ.

Pour 28 petits fours
Temps de préparation : 30 mn
Durée totale : 45 mn

Par petit four :
Calories **60**
Protéines **1 g**
Cholestérol **10 mg**
Total des lipides **4 g**
Acides gras saturés **1 g**
Sodium **15 mg**

125 g d'amandes, pilées
90 g de sucre semoule
30 g de maïzéna
30 g de margarine polyinsaturée, fondue et refroidie
1 c. à s. de crème aigre
1 œuf, battu
1 c. à s. de kirsch ou d'amaretto
30 g de pistaches, décortiquées, pelées et hachées
1 c. à s. de sucre glace

Préchauffez le four à 190° (thermostat : 5) et préparez 28 caissettes à petits fours en double épaisseur.

Mélangez, dans un grand bol, les amandes, le sucre semoule et la maïzéna, faites un puits au centre et versez dedans la margarine, la crème, l'œuf et le kirsch ou l'amaretto.

Mélangez bien tous ces ingrédients, à l'aide d'une cuillère en bois pour avoir une pâte lisse.

Répartissez-la, à la cuillère, dans les caissettes à petits fours en les remplissant aux trois-quarts. Saupoudrez de pistaches puis de sucre glace.

Placez les petits fours sur une plaque de cuisson, enfournez et faites-les cuire 12 à 15 mn jusqu'à ce qu'ils soient bien levés, dorés et fermes au toucher. Transférez-les sur une grille et laissez-les refroidir à température ambiante.

NOTE : *ces petits fours sont meilleurs consommés le jour même mais se conservent deux ou trois jours dans un récipient étanche. Pour peler les pistaches, jetez-les dans de l'eau bouillante 1 mn, égouttez complètement avant de les frotter vigoureusement dans une serviette.*

Tuiles au gingembre et à la mousse de kumquats

Pour 20 tuiles
Temps de préparation : 1 h 15
Durée totale : 2 h 30

Par tuile :
Calories **75**
Protéines **2 g**
Cholestérol **10 mg**
Total des lipides **4 g**
Acides gras saturés **2 g**
Sodium **15 mg**

60 g de beurre
60 g de sucre roux
2 c. à c. de sirop de sucre de canne
60 g de farine ordinaire, tamisée
1 c. à c. de jus de citron, fraîchement pressé
1/2 c. à c. de gingembre, moulu

Mousse aux kumquats et au gingembre

175 g de kumquats, équeutés
6 c. à s. de jus d'orange, fraîchement pressé
1 1/2 c. à c. de gélatine en poudre
2,5 cm de gingembre au sirop
2 c. à c. de sirop de gingembre
250 g de fromage blanc

Réduisez en purée les kumquats dans un mixeur avec 4 cuillerées à soupe de jus d'orange. Passez la purée au tamis à mailles fines et jetez les pépins. Mettez le reste du jus d'orange dans un petit bol, répandez dessus la gélatine et laissez-la ramollir pendant 2 mn, puis placez le bol au-dessus d'une casserole d'eau frémissante et remuez jusqu'à ce que la gélatine soit totalement dissoute.

Retournez la purée de kumquats dans le mixeur, ajoutez le gingembre, le sirop de gingembre ainsi que le fromage blanc et faites tourner pour avoir une crème lisse. Ajoutez la gélatine dissoute et faites tourner encore 20 secondes. Mettez le mélange au réfrigérateur pendant 1 1/2 heure.

Préchauffez le four à 180° (thermostat : 4), graissez deux plaques de cuisson et chemisez-les de papier sulfurisé. Faites chauffer doucement le beurre, le sucre et le sirop de sucre dans une petite casserole à fond épais. Quand le beurre est fondu et le sucre dissous, retirez la casserole du feu et ajoutez, en remuant, la farine. Mélangez bien, puis incorporez le jus de citron et le gingembre moulu.

Laissez tomber 4 cuillerées à café rases du mélange sur chaque plaque de cuisson, en les espaçant largement. Enfournez une des plaques et faites cuire les tuiles pendant 10 mn. Enfournez la deuxième plaque à mi-cuisson de la première. Quand les tuiles de la première fournée ont fini de cuire, retirez-les du four, laissez-les reposer 1 mn pour qu'elles se raffermissent un peu puis soulevez-les à l'aide d'une spatule en métal et moulez-les en cornets en les enroulant autour d'un moule conique en métal *(encadré, p. suivante)*.

Essuyez le papier sulfurisé sur la plaque, laissez tomber dessus 4 cuillerées à café du mélange et remettez la plaque dans le four. Retirez l'autre plaque supportant les 4 autres tuiles ; moulez-les en cornets comme les précédentes. Continuez jusqu'à épuisement du mélange. Si les tuiles commencent à durcir avant d'être moulées, remettez-les au four, quelques secondes, afin de les assouplir.

Transférez la mousse aux kumquats dans une poche à douille ordinaire de 1 cm et servez-vous-en pour farcir les tuiles juste avant de servir.

Tuiles au chocolat

Pour 20 tuiles
Temps de préparation et durée totale : 1 h 15

Par tuile :
Calories **60**
Protéines **1 g**
Cholestérol **5 mg**
Total des lipides **5 g**
Acides gras saturés **3 g**
Sodium **5 mg**

60 g de beurre
60 g de sucre roux
2 c. à s. de sirop de canne à sucre
60 g de farine ordinaire, tamisée
1 c. à c. de jus de citron, fraîchement pressé
1/2 c. à c. de cannelle, moulue
150 g de chocolat à croquer, cassé en morceaux

Préchauffez le four à 180° (thermostat : 4) et graissez deux plaques de cuisson avant de les chemiser de papier sulfurisé. Mettez le beurre, le sucre et le sirop de canne dans une petite casserole sur feu doux en remuant. Quand le beurre est fondu et le sucre dissous, retirez du feu et incorporez la farine. Mélangez pour avoir un mélange lisse, puis incorporez le jus de citron et la cannelle.

Laissez tomber 4 cuillerées à café rases de ce mélange sur chaque plaque de cuisson, en les espaçant largement car elles vont s'étaler. Enfournez une des plaques et faites cuire les tuiles 10 mn, jusqu'à ce qu'elles fassent des bulles et soient dorées ; à mi-cuisson de la première fournée, mettez la deuxième plaque dans le four. Quand les tuiles de la première sont cuites, retirez-les du four et laissez-les reposer 1 mn pour qu'elles se raffermissent un peu. Soulevez-les doucement à l'aide d'une spatule en métal et enroulez-les en cylindres autour du manche d'une cuillère en bois *(encadré, ci-dessous).*

Essuyez le papier sulfurisé de la plaque, laissez tomber dessus 4 autres cuillerées de mélange et enfournez. Retirez l'autre plaque du four, et enroulez les tuiles comme les précédentes. Faites cuire le reste du mélange. Si les tuiles commencent à durcir avant d'être moulées, remettez-les au four pendant quelques secondes pour les assouplir.

Faites fondre le chocolat dans un bol placé au-dessus d'une casserole d'eau chaude, trempez dedans les extrémités de chaque cylindre, posez-les sur une feuille de papier sulfurisé et laissez durcir.

NOTE : *les tuiles pourront être conservées jusqu'à une semaine dans un récipient étanche.*

Mouler les tuiles

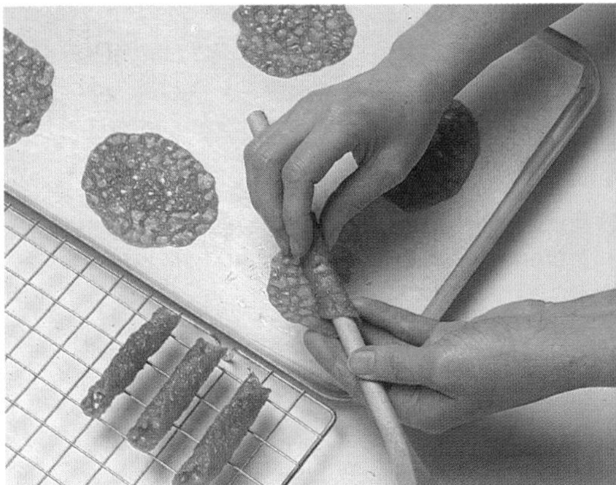

ROULER LES CYLINDRES. Retirez les biscuits du four et laissez-les reposer 1 mn afin de pouvoir les soulever sans les déchirer ; soulevez-en un à l'aide d'une spatule en métal et enroulez-le rapidement autour du manche d'une cuillère en bois. Dès que le cylindre est durci, faites-le glisser le long du manche pour le dégager et posez-le sur une grille. Moulez tous les autres biscuits de même.

MOULER LES CORNETS. Retirez les biscuits du four et laissez-les reposer 1 mn afin de pouvoir les soulever sans les déchirer. Soulevez-en un à l'aide d'une spatule en métal et appliquez-le autour d'un moule conique en métal pour façonner un cornet. Transférez celui-ci sur une grille dès que sa forme s'est consolidée et moulez les autres.

Tulipes garnies de mousse à l'amaretto

Pour 10 tulipes
Temps de préparation : 45 mn
Durée totale : 1 h 30 (temps de réfrigération inclus)

Par tulipe :
Calories **135**
Protéines **4 g**
Cholestérol **10 mg**
Total des lipides **9 g**
Acides gras saturés **4 g**
Sodium **10 mg**

30 g de beurre
30 g de sucre roux
1 c. à s. de sirop de canne à sucre
30 g de farine ordinaire, tamisée
1/2 c. à c. de jus de citron, fraîchement pressé
1/2 c. à c. de cannelle, moulue
5 amandes, blanchies, ouvertes en 2 et grillées

Mousse à l'amaretto

2 c. à c. de gélatine en poudre
500 g de fromage blanc
60 g de macarons amers, finement broyés
1 c. à s. de liqueur d'amaretto

Commencez par la mousse : répandez la gélatine sur 3 cuillerées à soupe d'eau dans un petit bol. Laissez-la ramollir 2 mn avant de placer le bol au-dessus d'une casserole d'eau frémissante et remuez jusqu'à ce que la gélatine soit dissoute. Mélangez, dans un autre bol, le fromage, les macarons et l'amaretto, puis ajoutez la gélatine dissoute et mélangez bien. Mettez la mousse au réfrigérateur pendant 1 h pour qu'elle se raffermisse.

Préparez, pendant ce temps, les tulipes. Préchauffez le four à 180° (thermostat : 4), graissez deux plaques de cuisson et chemisez-les de papier sulfurisé.

Mettez le beurre, le sucre et le sirop de canne dans une petite casserole sur feu doux et remuez jusqu'à ce que le beurre soit fondu et le sucre dissous. Retirez du feu et ajoutez la farine en remuant. Mélangez pour avoir une pâte lisse avant d'ajouter le jus de citron et la cannelle. Laissez tomber 4 cuillerées à café rases de ce mélange sur chaque plaque de cuisson, en les espaçant largement. Enfournez une des plaques et faites cuire les biscuits pendant 10 mn. Enfournez la deuxième plaque à mi-cuisson de la première fournée.

Quand les biscuits de la première fournée sont cuits, retirez-les du four et laissez-les reposer 1 mn pour qu'ils se raffermissent légèrement avant de les retirer à l'aide d'une spatule en métal et de les poser, en les retournant, sur les bases de verres étroits, renversés. Les biscuits vont prendre, en refroidissant, la forme de tulipes. Essuyez le papier sulfurisé de la plaque avant de laisser tomber dessus 2 cuillerées à café de pâte et remettez la plaque au four. Retirez-en la deuxième plaque contenant les autres biscuits, et moulez-les. Faites de même avec les 2 biscuits de la dernière fournée.

Quand les tulipes sont bien consolidées, transférez la mousse dans une poche à douille étoilée de 1 cm et dressez une coquille de mousse dans chacune. Décorez avec une demi-amande.

NOTE : *pour faire griller les demi-amandes, mettez-les sous le gril pendant 2 ou 3 mn pour les dorer, en les tournant ou secouant constamment.*

Fruits déguisés

Pour 36 fruits
Temps de préparation et durée totale : 1 h

Par fruit :
Calories **30**
Protéines **1 g**
Cholestérol **0 mg**
Total des lipides **1 g**
Acides gras saturés **traces**
Sodium **5 mg**

12 dattes fraîches
6 gros pruneaux, dénoyautés
12 petits abricots secs
18 pistaches, décortiquées, pelées et coupées en 2
1 c. à c. de sucre glace
175 g de sucre cristallisé

Farce de pistaches et d'amandes

30 g de pistaches, décortiquées, pelées et finement pilées
30 g d'amandes, pilées
30 g de sucre glace
1/2 blanc d'œuf, légèrement battu

Préparez, pour commencer, la farce : mettez dans un grand bol les pistaches et les amandes pilées avec le sucre glace, mélangez bien avec une cuillère en bois puis ajoutez ce qu'il faut de blanc d'œuf pour lier ce mélange en une pâte ferme. Pétrissez-la très légèrement pour qu'elle devienne lisse.

Fendez très délicatement chaque datte longitudinalement sans la couper en deux et retirez le noyau ; coupez chaque pruneau en deux longitudinalement et lissez bien l'intérieur de chaque moitié en forme de coupe. Fendez enfin chaque abricot longitudinalement sans le couper en deux.

Divisez la pâte d'amandes et de pistaches en 36 parts et roulez chacune entre les doigts pour en faire un petit ovale. Fourrez chaque datte, chaque abricot et chaque demi-pruneau avec un des ovales et refermez bien le fruit autour de la farce. Décorez six fruits de chaque type avec une demi-pistache, tamisez dessus le sucre glace, placez chacun dans une caissette à petit four et réservez.

Préparez ensuite le caramel et beurrez très légèrement une plaque de cuisson. Mettez le sucre cristallisé, dans une petite casserole à fond épais, avec 3 cuillerées à soupe d'eau froide sur feu doux et remuez jusqu'à ce que tous les cristaux de sucre soient dissous en passant au besoin sur les parois un pinceau trempé dans de l'eau chaude pour éliminer les cristaux qui s'y seraient déposés. Quand le sucre est totalement dissous, portez le sirop à ébullition et laissez bouillir doucement jusqu'à ce qu'il se colore légèrement ou qu'un thermomètre à sucre indique qu'il a atteint 160 à 170°. Plongez immédiatement le fond de la casserole dans de l'eau froide pour arrêter la cuisson et empêcher le caramel de foncer. Ensuite, pour qu'il reste liquide, placez la casserole dans un bol d'eau très chaude.

En travaillant très rapidement, maintenez en équilibre, l'un après l'autre, les fruits qui restent, sur le bout d'une fourchette et trempez-les dans le caramel. Laissez couler l'excès de caramel dans la casserole, disposez les fruits au fur et à mesure sur la plaque beurrée et décorez chacun avec une demi-pistache. Si le caramel commence à épaissir, faites-le chauffer de nouveau.

Laissez reposer les fruits caramélisés pendant 5 à 10 mn dans un endroit frais jusqu'à ce que le caramel soit bien durci puis placez-les dans des caissettes. Disposez-les dans un plat de service avec les fruits recouverts de sucre glace.

NOTE : *vous pourrez conserver les fruits caramélisés dans un récipient étanche placé dans un endroit sec pendant 1 ou 2 jours. Les fruits recouverts de sucre glace pourront être conservés plus longtemps. Pour peler les pistaches, faites-les blanchir 1 mn et frottez-les dans une serviette.*

Bonbons aux pacanes et marrons

Pour 25 bonbons
Temps de préparation et durée totale : 1 h 15

Par bonbon :
Calories **45**
Protéines **traces**
Cholestérol **0 mg**
Total des lipides **1 g**
Acides gras saturés **traces**
Sodium **5 mg**

125 g de sucre cristallisé
2 1/2 c. à s. de jus d'orange, fraîchement pressé
1/2 c. à c. de zeste d'orange, râpé
1/2 bâton de cannelle
60 g de pacanes, décortiquées (50 moitiés environ)

Purée de marrons

125 g de châtaignes, pelées (encadré, p. 51)
30 g de sucre roux
1 c. à s. de jus d'orange, fraîchement pressé
1/2 c. à c. de zeste d'orange, râpé
1/4 de c. à c. de cannelle, moulue
1 c. à s. de cognac

Faites dissoudre le sucre cristallisé dans le jus d'orange, sur feu doux, ajoutez le zeste et la cannelle et portez à ébullition. Laissez bouillir 15 mn jusqu'à avoir un caramel clair ou jusqu'à ce que le thermomètre indique 160 à 170°. Retirez alors la casserole du feu et posez-la, très brièvement, dans une grande casserole d'eau froide pour arrêter la cuisson, placez-la ensuite dans de l'eau chaude pour que le caramel reste fluide. Enrobez immédiatement les pacanes de caramel en les trempant, piquées d'une brochette, dans le sirop ; détachez chaque demi-pacane de la brochette à l'aide d'une fourchette légèrement huilée pour la poser sur une feuille de papier sulfurisé ou sur une plaque légèrement huilée. Laissez le caramel durcir.

Préparez la purée de marrons : mettez les châtaignes dans une casserole d'eau bouillante, baissez le feu et laissez frémir pendant 20 à 30 mn jusqu'à ce qu'elles commencent à se défaire. Mettez-les à égoutter dans une passoire et préparez un sirop léger, en faisant bouillir le sucre roux avec le jus d'orange pendant 2 ou 3 mn. Passez-les au mixeur ou pressez-les à travers un tamis à mailles fines avant de les mélanger avec le sirop, le zeste d'orange, la cannelle et le cognac.

Accolez, deux par deux, les demi-pacanes, en intercalant un peu de purée de marrons et placez-les dans des caissettes à petits fours. Servez-les dans la journée, les pacanes étant encore luisantes.

NOTE : *il est possible que le caramel fasse des cristaux pendant que vous y plongez les pacanes. Si cela se produit, il vous faudra faire un nouveau caramel.*

Bonbons au sirop d'érable

Pour 30 bonbons
Temps de préparation : 30 mn
Durée totale : 1 h 30 (temps de réfrigération inclus)

Par bonbon :
Calories **35**
Protéines **traces**
Cholestérol **0 mg**
Total des lipides **2 g**
Acides gras saturés **1 g**
Sodium **10 mg**

90 g d'abricots secs
125 g de dattes fraîches, dénoyautées
90 g de pruneaux, dénoyautés
60 g de raisins de Smyrne
2 c. à s. de sirop d'érable
100 g de noix de coco séchée
2 c. à c. de poudre de cacao

Passez au mixeur les abricots, les dattes, les pruneaux, les raisins secs et le sirop d'érable pour en faire une pâte collante. Transférez-la dans un grand bol, ajoutez 90 g de noix de coco et mélangez à la main pour avoir une pâte très souple et non collante.

Divisez-la en 30 parts égales et roulez chacune en une boule lisse. Mettez le reste de la noix de coco dans une petite assiette et le cacao dans une autre. Roulez la moitié des boules dans la noix de coco, et le reste dans le cacao, pour les enrober.

Placez les bonbons dans des caissettes à petits fours, mettez-les au réfrigérateur pendant 1 heure au moins et servez-les glacés.

NOTE : *si vous ne disposez pas d'un mixeur, passez les fruits dans un hachoir et ajoutez ensuite le sirop d'érable avec la noix de coco.*

Coupes de chocolat

Pour 12 coupes
Temps de préparation : 30 mn
Durée totale : 1 h

Par coupe :
Calories **105**
Protéines **2 g**
Cholestérol **traces**
Total des lipides **5 g**
Acides gras saturés **3 g**
Sodium **5 mg**

60 g de chocolat à croquer, cassé en morceaux
12 noisettes, grillées et pelées (encadré, p. 29)

Garniture de chocolat au rhum

125 g de chocolat à croquer, cassé en morceaux
1 c. à s. de rhum ambré
60 g de fromage blanc

Commencez par faire fondre les 60 g de chocolat dans un bol placé au-dessus d'une casserole d'eau frémissante, jusqu'à ce qu'il soit lisse sans couler ; ne le laissez pas devenir trop chaud car il serait alors extrêmement difficile à manipuler. Enduisez l'intérieur de 12 caissettes à confiserie de chocolat fondu *(encadré, ci-contre)* et mettez les coupes en chocolat au réfrigérateur.

Faites fondre le chocolat dans un bol placé au-dessus d'une casserole d'eau frémissante, puis éloignez le bol de la source de chaleur et ajoutez, en remuant, le rhum et le fromage blanc. Laissez refroidir, en remuant de temps en temps, jusqu'à ce que la garniture soit ferme, puis transférez-la dans une poche à douille étoilée de 1 cm.

Détachez doucement les caissettes des coupes en chocolat, dressez une coquille de garniture dans chacune d'elles et posez dessus une noisette.

Confectionner des godets en chocolat

CHEMISER DES CAISSETTES. Faites fondre du chocolat dans un bol posé sur une casserole d'eau frémissante jusqu'à ce qu'il soit lisse. Étalez-en une demi-cuillerée à café dans une caissette à confiserie en papier d'aluminium. En vous servant du manche d'une cuillère à café, étalez-le uniformément sur le fond et les parois de la caissette et laissez-le durcir. Quand toutes les caissettes sont prêtes, mettez-les au réfrigérateur pendant 15 mn puis recommencez l'opération en étalant une couche, plus mince. Laissez durcir.

Coupes en chocolat au cœur tendre

Pour 30 coupes
Temps de préparation : 1 h
Durée totale : 1 h 30

Par coupe :
Calories **35**
Protéines **1 g**
Cholestérol **0 mg**
Total des lipides **2 g**
Acides gras saturés **1 g**
Sodium **10 mg**

150 g de chocolat à croquer, cassé en morceaux
2 fruits de la passion, coupés en 2
30 g de framboises fraîches
2 c. à c. de gélatine en poudre
200 g de yaourt grec, crémeux
2 c. à s. de sucre glace
1 c. à s. de marsala
1 c. à s. de kirsch
tranches de fruits frais (cerises, oranges, raisins, kiwis, framboises ou pêches), pour la décoration

Pour faire les coupes en chocolat, faites fondre le chocolat dans un bol placé au-dessus d'une casserole d'eau frémissante, jusqu'à ce qu'il soit lisse sans couler. Ne le laissez pas devenir trop chaud car il serait alors extrêmement difficile à manipuler. Enduisez l'intérieur de 30 caissettes à confiserie de chocolat fondu *(encadré, p. ci-contre)* et mettez ces coupes au réfrigérateur.

Retirez, à la cuillère, la pulpe des fruits de la passion et pressez-la, à travers un tamis, dans un bol. Jetez les pépins et réservez le jus. Pressez les framboises, à travers le tamis, dans un autre bol, jetez les pépins et réservez la purée.

Répandez la gélatine sur 2 cuillerées à soupe d'eau dans un petit bol, laissez-la ramollir 2 mn puis placez le bol au-dessus d'une casserole d'eau frémissante, jusqu'à dissolution complète.

Mettez la moitié du yaourt dans un bol et ajoutez, en remuant, le jus des fruits de la passion, 1 cuillerée à café de sucre glace, le marsala et la moitié de la gélatine dissoute. Mélangez, dans un autre bol, le reste du yaourt avec la purée de framboises, le kirsch, le reste du sucre glace et de la gélatine.

Détachez doucement les caissettes des coupes en chocolat. Remplissez la moitié des coupes de la garniture aux fruits de la passion, et l'autre moitié, de la garniture aux framboises. Décorez avec des tranches de fruits frais et mettez au réfrigérateur, une demi-heure au moins, jusqu'à ce que la garniture soit bien ferme. Servez ces confiseries dans la journée.

NOTE : *les coupes en chocolat, à condition d'être vides, se conservent au réfrigérateur, dans un récipient étanche, pendant plusieurs jours.*

Barquettes aux marrons

Pour 20 barquettes
Temps de préparation : 1 h 15
Durée totale : 1 h 45

Par barquette :
Calories **55**
Protéines **1 g**
Cholestérol **0 mg**
Total des lipides **2 g**
Acides gras saturés **1 g**
Sodium **10 mg**

125 g de chocolat à croquer, cassé en morceaux
175 g de châtaignes fraîches, pelées (encadré, p. 51)
30 cl de lait écrémé
1/2 gousse de vanille
1 c. à s. de miel liquide
3 c. à s. de yaourt grec, crémeux
1/2 c. à c. d'extrait de vanille
1/2 c. à c. de zeste d'orange, râpé
le zeste de 1 orange, coupé en julienne, blanchi 1 mn et égoutté

Pour faire les barquettes, faites fondre le chocolat dans un bol placé au-dessus d'une casserole d'eau frémissante, jusqu'à ce qu'il soit lisse sans couler ; ne le laissez pas devenir trop chaud car il serait alors difficile à manipuler. Appliquez le procédé décrit page 122 pour faire des coupes en chocolat, en remplaçant les caissettes par des moules ordinaires. Mettez les barquettes au réfrigérateur.

Mettez les châtaignes pelées dans une petite casserole avec le lait et la gousse de vanille ; au besoin, ajoutez de l'eau pour que les châtaignes soient couvertes. Portez à ébullition puis baissez le feu et laissez frémir 20 à 30 mn jusqu'à ce que les châtaignes commencent à se défaire. Égouttez bien et jetez le lait. Passez les châtaignes au mixeur ou pressez-les à travers un tamis à mailles fines, mettez la purée dans un grand bol et ajoutez, en remuant, le miel, le yaourt, l'extrait de vanille et le zeste d'orange ; mélangez jusqu'à avoir une crème lisse. Transférez-la, à la cuillère, dans une poche à douille étoilée de 5 mm.

En vous servant d'un petit couteau aiguisé, dégagez et retirez les barquettes des moules. Dressez joliment un peu de crème de châtaignes dans chaque barquette, disposez dessus des lanières de zeste et servez dans les deux heures qui suivent.

NOTE : *vous pouvez faire les barquettes et la farce deux jours à l'avance et les conserver, à part, au réfrigérateur.*

Lingots aux fruits secs

Pour 24 lingots
Temps de préparation : 45 mn
Durée totale : 4 h

Par lingot :
Calories **65**
Protéines **traces**
Cholestérol **0 mg**
Total des lipides **1 g**
Acides gras saturés **traces**
Sodium **10 mg**

200 g de sucre cristallisé
1 lanière, de 7,5 cm, de zeste de citron
1/2 bâton de cannelle
3 clous de girofle
3 capsules de cardamome, légèrement broyées
1 lame de macis
1/2 c. à c. de mélange d'épices pour pain d'épice
60 g d'abricots secs, coupés en dés de 5 mm
60 g de poires séchées, coupées en dés de 5 mm
60 g d'ananas séché, coupé en dés de 5 mm
60 g de figues sèches, coupées en dés de 5 mm
30 g de cerises confites, coupées en 4
60 g de chocolat à croquer, cassé en morceaux

Faites dissoudre le sucre dans 15 cl d'eau dans une casserole moyenne à fond épais, sur feu doux ; éliminez tous les cristaux collés aux parois, en vous servant d'un pinceau trempé dans de l'eau chaude. Ajoutez le zeste de citron, la cannelle, les clous de girofle, la cardamome, le macis et le mélange d'épices et laissez frémir pendant 5 mn. Retirez, à l'aide d'une écumoire, le zeste et les épices entières.

Montez le feu à vif, mettez un thermomètre à sucre dans la casserole et portez à ébullition. Dès que le thermomètre marque 118°, baissez le feu et ajoutez les abricots, les poires, l'ananas et les figues. Remuez une fois puis laissez cuire doucement pendant 5 mn sans remuer. La température va monter doucement, mais elle ne doit pas dépasser 125°, pour éviter que les fruits durcissent. Ajoutez les cerises et retirez la casserole du feu.

En vous servant d'une cuillère à café et en travaillant rapidement, prélevez et laissez tomber des cuillerées de fruits en lingots sur une feuille de papier sulfurisé. Laissez-les refroidir à température ambiante pendant 3 heures au moins. Quand ils sont refroidis, mais encore souples, roulez-les en boule avec les doigts et disposez-les sur une feuille de papier sulfurisé, propre.

Faites fondre le chocolat dans un bol posé audessus d'une casserole d'eau frémissante et confectionnez une poche en papier sulfurisé *(encadré, p. 13)*. Remplissez-la de chocolat, repliez le sommet, coupez la pointe et décorez chaque lingot d'un zigzag en chocolat. Laissez durcir 15 mn et servez.

NOTE : *le sirop de sucre tend à se cristalliser pendant que vous laissez tomber les cuillerées de mélange pour faire les lingots. Si le mélange devient trop dur, faites-le réchauffer doucement pour faire fondre le sucre. Les lingots décorés peuvent être conservés quelques jours dans un récipient étanche, à condition de les disposer en couches séparées par du papier sulfurisé.*

Pruneaux fourrés en habit de chocolat

VOUS AVEZ, AVEC CETTE RECETTE, L'OCCASION D'UTILISER LES CHUTES DE GÉNOISE QUI RESTENT QUAND VOUS AVEZ FAIT CERTAINS DES GÂTEAUX DU CHAPITRE 2.

Pour 18 pruneaux
Temps de préparation : 1 h
Durée totale : 3 h

Par pruneau :
Calories **100**
Protéines **1 g**
Cholestérol **0 mg**
Total des lipides **1 g**
Acides gras saturés **traces**
Sodium **20 mg**

100 g de sucre cristallisé
1 bâton de cannelle
1 gousse de vanille
350 g de gros pruneaux
60 g de génoise (recette, p. 11)
60 g de noix, décortiquées, légèrement grillées et moulues
4 c. à s. d'armagnac ou de cognac
1/2 c. à c. d'extrait de vanille
75 g de chocolat blanc, cassé en morceaux

Mettez le sucre, dans une casserole, avec 25 cl d'eau et faites chauffer à feu doux jusqu'à ce que le sucre soit dissous ; ajoutez la cannelle et la gousse de vanille, portez à ébullition, puis baissez le feu et laissez frémir 5 mn. Ajoutez les pruneaux et laissez frémir, 5 mn encore, avant d'en retirer, à l'aide d'une écumoire, 18 gros et bien ronds que vous laisserez refroidir sur une assiette. Dénoyautez-les avec soin et ouvrez bien les cavités qui doivent contenir la garniture. Laissez le reste des pruneaux dans le sirop frémissant pendant 20 à 40 mn, jusqu'à ce qu'ils soient très tendres. Transférez-les sur une assiette et laissez-les refroidir. Jetez le sirop.

Dénoyautez les pruneaux ramollis et passez-les au mixeur pour les réduire en purée, avec la génoise, les noix, l'armagnac et l'extrait de vanille. En vous servant d'une cuillère à café, introduisez la farce dans les pruneaux et refermez.

Faites fondre le chocolat, dans un bol placé au-dessus d'une casserole d'eau frémissante, jusqu'à ce qu'il soit lisse mais encore épais. Trempez-y chaque pruneau, en le retournant pour en enduire un bout. Disposez les pruneaux, côté fourré au-dessus, sur une feuille de papier sulfurisé et laissez-les reposer jusqu'à ce que le chocolat ait durci. Placez-les dans des caissettes.

NOTE : *les pruneaux fourrés pourront être conservés plusieurs jours au réfrigérateur, dans un récipient étanche, disposés en couches superposées séparées par des feuilles de papier sulfurisé. Pour faire griller les noix, passez-les 2 mn sous le gril jusqu'à ce qu'elles commencent à brunir.*

Fruits glacés

Pour 45 fruits glacés
Temps de préparation et durée totale : 30 mn

Par fruit :
Calories **15**
Protéines **traces**
Cholestérol **0 mg**
Total des lipides **0 g**
Acides gras saturés **0 g**
Sodium **traces**

8 grains de raisin noir, sans pépins
8 grains de raisin blanc, sans pépins
8 petites fraises, parées
1 clémentine, pelée, coupée en quartiers et débarrassée de toute peau blanche
6 framboises
6 physalis
175 g de sucre cristallisé

Percez chaque fruit ou quartier de fruit avec un bâtonnet à cocktail et chemisez de papier sulfurisé une grande plaque de cuisson.

Mettez le sucre avec 4 cuillerées à soupe d'eau, dans une petite casserole à fond épais, sur feu moyen et remuez doucement avec une cuillère en bois pour dissoudre le sucre. Éliminez les cristaux de sucre qui se seraient formés sur les parois à l'aide d'un pinceau trempé dans de l'eau chaude. Faites tiédir un thermomètre à sucre dans un pot d'eau chaude avant de le placer dans la casserole. Portez à ébullition et faites bouillir rapidement pour atteindre le stade du petit cassé, c'est-à-dire quand le thermomètre indique 132 à 143° ; laissez tomber d'une brochette un peu de sirop ayant atteint ce stade dans un bol d'eau glacé, puis retirez-le et étirez-le doucement entre les doigts : il doit se diviser en fils durs mais élastiques.

Retirez la casserole du feu. En travaillant rapidement trempez les fruits ou les quartiers de fruit, un à un, dans le sirop et disposez-les sur la plaque de cuisson où ils vont refroidir et durcir. Laissez durcir pendant 5 mn avant de retirer les bâtonnets. Posez chaque fruit dans une caissette à confiserie.

NOTE : *préparez les fruits le plus tard possible avant de les servir et gardez-les dans un endroit sec. Le sucre qui les recouvre tend à devenir poisseux, en atmosphère humide.*

4 Après avoir quintuplé de volume en quelques secondes, ces meringues seront soudées deux par deux par une légère crème aux amandes (recette, ci-contre).

Le four à micro-ondes

Propre, efficace et polyvalent, le four à micro-ondes peut être un instrument précieux pour la préparation de la pâtisserie. Son emploi ne doit pas être limité à l'exécution des recettes de ce chapitre car, bien qu'il ne convienne pas à la cuisson de la pâte brisée ou de la pâte à chou, il est parfait quand il s'agit de préparer plusieurs éléments d'un gâteau avant l'assemblage final. Il permet, par exemple, de faire fondre le chocolat et la gélatine plus vite et plus commodément puisqu'il n'est pas besoin de bain-marie pour ce faire.

Une génoise cuite dans un four à micro-ondes montera en quelques secondes et sans dorer, ce qui en fait l'accompagnement idéal des crèmes pastel et des mousses. Étant donné la rapidité de l'opération, il vous faudra appliquer scrupuleusement les indications concernant les durées. La génoise est à point quand elle est souple au toucher, légèrement rétractée par rapport aux parois et encore un peu humide à la surface. Cette humidité va s'évaporer quand vous la laisserez reposer; résistez donc à la tentation de la remettre au four, où elle risque de se dessécher.

Les aliments ne risquant pas de brûler dans un four à micro-ondes, vous pouvez faire cuire en toute quiétude la crème pâtissière jusqu'à faire disparaître toute trace de goût de farine crue. Pour que la crème reste lisse, il vous suffira de la remuer régulièrement avec un fouet à main. Les fruits cuits dans ce type de four gardent leur saveur et leur couleur; pour préserver aussi leur forme, disposez-les en une seule couche dans un plat peu profond et, pour en retenir l'humidité, couvrez le plat d'une pellicule plastique spéciale pour fours à micro-ondes. N'oubliez pas d'en soulever un coin pour éviter d'enfermer trop de vapeur.

Les meringues classiques ne peuvent pas être cuites dans un four à micro-ondes mais les meringues à l'amaretto *(recette ci-contre)* ont été spécialement créées pour ce mode de cuisson. Une petite quantité du mélange ($1/2$ cuillerée à café) donne après cuisson une grosse meringue mousseuse. Veillez donc à les espacer largement dans le plat.

Toutes les recettes de ce chapitre ont été testées dans des fours de 650 et 700 watts. Les indications de puissance varient selon les fabricants. Les recettes qui suivent indiquent 100 % pour la puissance maximale, 50 % pour une puissance moyenne et 30 % pour la puissance minimale (utilisée pour la décongélation). Les recettes indiquent également quand et comment il convient de tourner les gâteaux pour les faire lever également, mais vous pouvez ignorer ces recommandations si vous disposez d'un plateau tournant.

Meringues à l'amaretto

LES MERINGUES CUITES AU FOUR À MICRO-ONDES SONT TRÈS DIFFÉRENTES DES MERINGUES CLASSIQUES : ELLES SONT TENDRES, FRAGILES ET FONDENT DANS LA BOUCHE.

Pour 32 meringues
Temps de préparation et durée totale : 20 mn

Par meringue :
Calories **65**
Protéines **1 g**
Cholestérol **15 mg**
Total des lipides **2 g**
Acides gras saturés **traces**
Sodium **10 mg**

1 blanc d'œuf
300 g de sucre glace
$1/8$ de c. à c. d'essence d'amandes
30 g d'amandes, effilées
1 c. à s. de liqueur d'amaretto
30 cl de crème pâtissière (recette, p. 11)

Mettez le blanc d'œuf dans un bol, tamisez dessus le sucre glace, ajoutez l'essence d'amandes et remuez pour avoir un mélange ferme ; s'il est collant, ajoutez un peu plus de sucre glace (1 cuillerée à café).

Confectionnez, en vous servant de vos doigts, 64 boulettes représentant $1/2$ cuillerée à café de ce mélange. Disposez huit boulettes en cercle, bien espacées, sur un papier sulfurisé, parsemez d'amandes effilées et pressez avec le pouce pour les aplatir légèrement. Mettez au four à micro-ondes et faites cuire 1 mn à 100 % en tournant d'un quart de tour toutes les 20 secondes. Les meringues vont gonfler jusqu'à mesurer 6 cm et garderont leur forme une fois cuites. Si elles s'affaissent la porte du four une fois ouverte, faites-les cuire encore 20 secondes.

Retirez les meringues cuites du four, laissez-les refroidir 1 mn, puis soulevez-les délicatement et posez-les sur une grille pour qu'elles finissent de refroidir. Préparez et faites cuire le reste des meringues en en mettant huit à chaque fois au four.

Ajoutez, en remuant, la liqueur d'amaretto dans la crème pâtissière. En vous servant d'un couteau à lame arrondie, étalez une cuillerée de crème sur la surface plate d'une meringue et posez dessus, en pressant doucement, la surface plate d'une autre meringue. Disposez les meringues fourrées sur un plat de service et servez.

NOTE : *les meringues cuites peuvent être conservées deux semaines dans un récipient étanche. Elles seront garnies de crème pâtissière juste avant d'être consommées.*

Châteaux de pommes

Pour 6 châteaux
Temps de préparation : 30 mn
Durée totale : 1 h 30

Par château :
Calories **160**
Protéines **3 g**
Cholestérol **80 mg**
Total des lipides **2 g**
Acides gras saturés **traces**
Sodium **20 mg**

1 œuf
90 g de sucre semoule
60 g de farine ordinaire
4 pommes couteau
le jus d'une orange
8 cl de crème pâtissière (recette, p. 11 ou ci-dessous)
2 c. à s. de Grand Marnier
1 c. à c. de gélatine en poudre
6 brins de menthe, pour la décoration

Chemisez de papier sulfurisé le fond d'un moule peu profond de 18 × 10 cm. Battez l'œuf avec 60 g de sucre semoule jusqu'à avoir un mélange pâle très épais qui fasse le ruban. Tamisez légèrement la farine sur la surface puis enveloppez-la délicatement dans le mélange. Versez la pâte dans le moule, enfournez et faites cuire à 100 % pendant 50 à 60 secondes jusqu'à ce que la génoise se rétracte ; la surface en sera encore humide. Quand la génoise est refroidie, retournez-la et retirez le papier.

Pelez les pommes et évidez-les, en les laissant entières. Coupez-les en travers en minces rondelles. Réservez 6 petites rondelles entières et coupez les autres en deux ; mettez-les dans un plat peu profond, saupoudrez avec le reste du sucre et arrosez du jus d'orange. Couvrez le plat d'une pellicule plastique en laissant un côté ouvert, enfournez et faites cuire à 100 % pendant 3 ou 4 mn jusqu'à ce que les pommes soient tendres sans se défaire. Laissez-les refroidir légèrement. Recueillez le jus des pommes dans un petit bol et réservez-le.

Chemisez de papier sulfurisé le fond de six moules à flan et posez dessus une rondelle entière de

pomme (si elle est trop grande, rognez les bords). Recouvrez les parois avec les demi-rondelles, en utilisant 4 ou 5 tranches par moule. Hachez grossièrement les tranches qui restent et incorporez-les dans la crème pâtissière avec 1 cuillerée à soupe de Grand Marnier. Répandez la gélatine sur le jus de pomme réservé, laissez reposer 2 minutes, enfournez et faites cuire à 100 % pendant 30 secondes. Incorporez le jus dans la crème pâtissière. Répartissez le mélange dans les six moules.

Découpez dans la génoise six rondelles à la dimension voulue pour tenir parfaitement entre les parois, disposez-les sur la crème pâtissière, arrosez-les avec le reste du Grand Marnier et mettez-les au réfrigérateur pendant 1 heure avant de les démouler. Retirez le papier, décorez avec un brin de menthe.

Crème pâtissière

Pour 30 cl
Temps de préparation : 20 mn
Durée totale : 1 h 30 (temps de réfrigération inclus)

2 jaunes d'œufs
30 g de sucre semoule
30 g de farine ordinaire, tamisée
15 g de maïzéna, tamisée
30 cl de lait écrémé
1 c. à c. d'extrait de vanille
2 c. à s. de yaourt grec, épais
1 blanc d'œuf

Mettez les jaunes d'œufs et la moitié du sucre dans un grand bol. Fouettez pour avoir un mélange épais, incorporez la farine et la maïzéna et ajoutez petit à petit, en fouettant, le lait et l'extrait de vanille. Mettez au four à 100 % pendant 2 à 3 1/2 mn, en fouettant toutes les minutes. Une fois cuit, le mélange doit faire une crème épaisse et lisse, sans arrière-goût de farine crue. Couvrez bien la surface d'une pellicule plastique. Laissez refroidir la crème pendant 10 mn avant de la mettre au réfrigérateur 15 à 20 mn.

Fouettez la crème jusqu'à ce qu'elle soit bien lisse puis ajoutez, en fouettant toujours, le yaourt. Battez le blanc d'œuf en neige ferme, ajoutez le reste du sucre, en battant. Enveloppez petit à petit ce mélange dans la crème.

Couvrez le tout d'une pellicule plastique et mettez au réfrigérateur pendant 1 heure.

NOTE : *cette crème pâtissière peut être conservée 2 jours au réfrigérateur.*

Losanges à la banane

Pour 12 losanges
Temps de prépartion : 40 mn
Durée totale : 1 h 15

Par losange :
Calories **190**
Protéines **4 g**
Cholestérol **20 mg**
Total des lipides **6 g**
Acides gras saturés **1 g**
Sodium **180 mg**

175 g de farine complète
1/2 c. à c. de bicarbonate de soude
125 g de sucre roux
4 c. à s. de lait écrémé
2 bananes mûres, écrasées
4 c. à s. d'huile de carthame ou de tournesol
1 œuf
1/2 c. à c. de levure chimique
1/2 c. à c. d'extrait de vanille
2 c. à s. de sucre glace, pour la décoration

Garniture au fromage

200 g de ricotta maigre
3 c. à s. de sucre glace
3 1/2 c. à s. de jus d'orange, fraîchement pressé
1 c. à c. de mélange d'épices pour pain d'épice

Chemisez de papier sulfurisé le fond d'un moule rectangulaire de 28 × 18 cm.

Tamisez dans un grand bol la farine et le bicarbonate de soude, incorporez le sucre roux, puis ajoutez tous les autres ingrédients du gâteau à l'exception du sucre glace et de la garniture. Fouettez le tout pour avoir une pâte lisse, mettez-la dans le moule, enfournez et faites cuire à 50 % pendant 6 mn en faisant faire au moule un demi-tour toutes les 2 mn. Augmentez la puissance à 100 % et faites cuire encore 4 ou 5 mn jusqu'à ce que le gâteau soit souple au toucher mais encore humide. Retirez-le, laissez reposer 3 mn avant de le retourner sur une grille. Retirez le papier et laissez refroidir.

Mettez dans un grand bol le fromage, le sucre glace, le jus d'orange, les épices et mélangez bien.

Posez le gâteau — à l'endroit — sur un plan de travail et taillez les bords pour en faire un rectangle parfait. Coupez-le horizontalement en deux parts égales ; étalez la garniture, uniformément, sur la couche du dessous, recouvrez avec la couche du dessus et coupez le gâteau dans le sens de la longueur en trois bandes égales. Découpez, en diagonale, chaque bande en 4 losanges.

Confectionnez avec du papier rigide un patron en forme de losange ayant les mêmes dimensions que les losanges à la banane.

Tracez dessus au crayon un grand X formant 4 petits losanges ; coupez-en deux qui se font face et détachez-les en prenant soin de laisser les deux autres reliés au centre. Posez ce patron sur l'un des gâteaux et tamisez dessus lé sucre glace. Répétez l'opération sur les autres losanges.

Coffrets en chocolat

Pour 18 coffrets
Temps de préparation : 1 h
Durée totale : 1 h 30

Par coffret :
Calories **70**
Protéines **2 g**
Cholestérol **40 mg**
Total des lipides **3 g**
Acides gras saturés **1 g**
Sodium **20 mg**

1 œuf
45 g de sucre semoule
45 g de farine ordinaire
60 g de chocolat à croquer
1 c. à s. de kirsch
30 cl de crème pâtissière (recettes, p. 11 ou p. 130)
5 fraises, équeutées et coupées en 4 dans la hauteur

Chemisez de papier sulfurisé le fond d'un moule de 18 × 10 × 4 cm. Mettez dans un bol l'œuf et le sucre et fouettez jusqu'à avoir un mélange pâle, très épais, qui fasse le ruban quand vous soulevez le fouet. Tamisez légèrement la farine sur ce mélange puis incorporez-la délicatement, en vous servant d'une cuillère en métal. Versez la pâte dans le moule en le secouant légèrement pour bien la répartir. Enfournez et faites cuire à 100 % pendant 50 secondes pour que la surface soit tout juste légèrement humide. Laissez-la refroidir dans le moule.

Préparez, pendant ce temps, les coffrets en chocolat : graissez et chemisez de papier paraffiné un moule de 30 × 15 cm. Mettez dans un petit bol le chocolat, cassé en morceaux, enfournez et faites cuire à 50 % pendant 2 1/2 ou 3 mn jusqu'à ce qu'il soit fondu, versez-le dans le moule et laissez reposer 30 mn dans un endroit frais.

Retournez la génoise refroidie sur un plan de travail et retirez le papier. Taillez les quatre côtés du rectangle pour qu'ils soient bien droits puis découpez-le en 18 carrés mesurant un peu moins de 2,5 cm ; jetez ce qui reste. Découpez le chocolat en 72 carrés de 2,5 cm de côté *(encadré, p. 12).*

Incorporez le kirsch dans la crème pâtissière. Étalez un peu de cette crème sur les côtés des carrés de génoise et pressez un carré de chocolat sur chaque côté. Transférez le reste de la crème dans une poche à douille étoilée moyenne, laissez couler deux rubans de crème sur chaque coffret et posez dessus un quartier de fraise.

NOTE : *ces petits coffrets peuvent être conservés pendant 4 ou 5 jours au réfrigérateur : le fruit ne sera posé dessus qu'au moment de servir. Vous pouvez remplacer les fraises par d'autres fruits de saison tels que des cerises, des framboises, des quartiers de clémentine, du kiwi.*

Petits fours à la pêche et aux fruits de la passion

Pour 36 petits fours
Temps de préparation : 1 h
Durée totale : 3 h

Par petit four :
Calories **25**
Protéines **2 g**
Cholestérol **15 mg**
Total des lipides **1 g**
Acides gras saturés **traces**
Sodium **25 mg**

15 g de beurre

2 œufs

60 g de sucre semoule

60 g de farine ordinaire

1/4 de c. à c. de levure chimique

1/2 c. à s. de jus de citron, fraîchement pressé

2 c. à s. de confiture de framboises, sans adjonction de sucre, filtrée, pour la décoration

5 cm d'angélique, coupée en diagonale pour avoir des tranches en forme de losanges, pour la décoration

Garniture à la pêche

2 pêches, blanchies 30 secondes, pelées, dénoyautées, émincées et plongées dans l'eau acidulée

30 g de sucre glace

1 c. à c. d'arrow-root

1 c. à s. de jus de citron, fraîchement pressé

15 g de gélatine en poudre

100 g de fromage blanc maigre

Glaçage au fruit de la passion

4 fruits de la passion

125 g de sucre glace

Chemisez de papier sulfurisé le fond d'un moule de 20 cm de côté et de 4 cm de profondeur.

Mettez le beurre dans un petit bol, enfournez et faites cuire 1 mn à 30 % jusqu'à ce qu'il soit fondu. Réservez et laissez refroidir. Mettez dans un grand bol les œufs et le sucre ; fouettez jusqu'à avoir un mélange pâle, très épais. Tamisez légèrement dessus la farine et la levure, et incorporez-les délicatement, puis incorporez, de la même manière, le jus de citron et 1/2 cuillerée à soupe d'eau. Versez dessus le beurre refroidi et enveloppez-le.

Transférez la pâte dans le moule, enfournez et faites cuire à 100 %, pendant 2 1/2 ou 3 mn, en faisant faire au moule un quart de tour toutes les 45 secondes, jusqu'à ce que la génoise soit bien montée et que la surface soit encore légèrement humide. Retirez le gâteau du four et laissez-le reposer pendant 5 à 8 mn. Démoulez sur une grille.

Préparez la garniture aux pêches : faites sécher complètement les tranches de pêches sur du papier absorbant et mettez-les dans un bol. Saupoudrez de sucre glace, enfournez et faites cuire 1 mn à 100 %. Passez les fruits dans un autre bol, en les pressant à travers un tamis. Faites dissoudre l'arrow-root dans le jus de citron et incorporez-le à la purée de pêches. Enfournez, faites cuire à 70 % pendant 1 mn, jusqu'à ce que la purée soit limpide et épaisse. Retirez-la et laissez tiédir pendant 20 mn.

Répandez, pendant ce temps, la gélatine sur 2 cuillerées à soupe d'eau dans un petit bol. Laissez ramollir 2 mn puis enfournez et faites cuire à 100 % pendant 1 mn pour la dissoudre. Mettez le fromage blanc 1 mn au four à 30 % pour l'amener à la température ambiante. Fouettez-le un peu pour qu'il soit lisse, ajoutez en fouettant la purée de pêche puis la gélatine. Mettez cette garniture au réfrigérateur, pendant 10 à 15 mn, pour la faire épaissir.

Retirez le papier qui couvre la génoise et retournez-la sur un plan de travail. Coupez-la horizontalement en trois couches. Étalez la moitié de la garniture sur la couche inférieure ; posez dessus la couche intermédiaire, étalez sur celle-ci le reste de la garniture et recouvrez le tout avec la couche supérieure. Taillez les côtés bien nets.

Préparez le glaçage : coupez en deux les fruits de la passion, retirez à l'aide d'une cuillère les pépins et la pulpe, mettez-les dans un tamis posé sur un bol, pressez pour faire passer la pulpe. Mélangez le sucre avec le jus, en ajoutant un peu d'eau si nécessaire, pour lui donner la consistance d'un revêtement épais. Étalez le glaçage à l'aide d'une spatule en métal sur toute la surface de la génoise et incisez-la légèrement avec la pointe d'un couteau pour délimiter 36 carrés. Laissez le glaçage durcir 1 heure.

Avant de servir, préparez une poche en papier sulfurisé et remplissez-la de confiture. Décorez chaque carré avec la confiture et les losanges d'angélique et découpez le gâteau en suivant les incisions.

NOTE : *vous pouvez envelopper le gâteau dans du plastique et le conserver au réfrigérateur 4 ou 5 jours.*

Gâteaux au fromage au chocolat et au gingembre

Pour 6 gâteaux
Temps de préparation : 30 mn
Durée totale : 3 h

Par gâteau :
Calories **210**
Protéines **10 g**
Cholestérol **10 mg**
Total des lipides **9 g**
Acides gras saturés **5 g**
Sodium **230 mg**

45 g de biscuits sablés
75 g de chocolat à croquer
2 c. à c. de gélatine en poudre
2 c. à s. de miel liquide
30 g de gingembre cristallisé
250 g de fromage blanc maigre
125 g de crème fleurette
1 c. à c. de sucre glace, pour la décoration

Coupez six rondelles de papier sulfurisé pour chemiser le fond de six ramequins. Cassez les biscuits en morceaux et passez-les au mixeur pour les réduire en miettes. Cassez en morceaux 45 g de chocolat dans une coupe et mettez au four à 50 % pendant $2^1/_2$ ou 3 mn pour qu'il fonde, remuez pour en faire une pâte lisse et mélangez avec les miettes de biscuit. Répartissez le mélange dans les six ramequins en pressant légèrement contre le fond. Mettez au réfrigérateur pendant 20 mn.

Répandez la gélatine sur 2 cuillerées à soupe d'eau dans un bol et laissez-la ramollir pendant 2 mn, puis enfournez et faites cuire 30 secondes à 100 %. Incorporez le miel et laissez tiédir un peu.

Hachez menu, pendant ce temps, le gingembre dans un mixeur et mélangez-le avec le fromage blanc et la crème. Incorporez-y la gélatine au miel. Répartissez-le dans les ramequins, couvrez d'une pellicule plastique et mettez au réfrigérateur, au moins 2 heures, pour qu'il soit bien pris.

Pour la garniture, coupez en morceaux le reste du chocolat dans une coupe, enfournez et faites cuire 2 ou $2^1/_2$ mn à 50 %. Remuez pour avoir une pâte lisse puis, en vous servant d'une spatule en métal, étalez-le en une couche très mince sur une plaque de marbre et laissez refroidir jusqu'à ce qu'il soit presque durci. Grattez cette pellicule avec une raclette pour faire des copeaux *(encadré, p. 12)*.

Au moment de servir, faites glisser la lame d'un couteau entre gâteau et ramequin. Démoulez délicatement dans votre paume pour retirer le papier. Recouvrez les gâteaux de copeaux en chocolat et tamisez le sucre glace.

Galettes aux poires

Pour 8 galettes
Temps de préparation : 30 mn
Durée totale : 1 h

Par galette :
Calories **175**
Protéines **2 g**
Cholestérol **30 mg**
Total des lipides **5 g**
Acides gras saturés **2 g**
Sodium **15 mg**

2 poires conférence
15 cl de porto
90 g de sucre semoule
15 g de gingembre confit, haché menu
6 c. à s. de crème pâtissière (recettes, p. 11 ou p. 130)

Pâte sablée aux noisettes

30 g de beurre
15 g de sucre semoule
45 g de farine ordinaire
15 g de noisettes, décortiquées, grillées, pelées (encadré, p. 29) et finement moulues

Pelez les poires, coupez-les en deux, évidez-les et coupez-les en longues tranches minces.

Mélangez le porto et le sucre, dans un plat peu profond, de 20 cm de diamètre. Enfournez et faites cuire 2 mn à 100 %, puis remuez jusqu'à ce que le sucre soit dissous. Mettez les tranches de poire dans le sirop, en les retournant pour qu'elles soient bien enrobées. Couvrez le plat d'une pellicule plastique en laissant un coin ouvert et faites cuire à 100 %, en faisant faire au plat un quart de tour au bout de 3 mn, pendant 6 à 8 mn, jusqu'à ce qu'elles soient tendres sans être molles. Quand la cuisson est terminée, ôtez la pellicule plastique et passez le jus dans un grand bol. Laissez refroidir.

Faites chauffer le sirop pendant 7 mn à 100 %, jusqu'à ce qu'il soit épais et sente le caramel.

Préparez, pendant ce temps, la pâte. Battez en crème le beurre et le sucre puis ajoutez, en remuant, la farine et les noisettes pour avoir une pâte ferme. Retournez-la sur un plan de travail légèrement fariné et abaissez-la au rouleau sur 3 mm d'épaisseur. En vous servant d'un emporte-pièce ordinaire de 7,5 cm, découpez 8 rondelles. Disposez dans le four une feuille de papier sulfurisé, placez dessus quatre rondelles de pâte et faites-les cuire 2 mn à 100 %. Laissez-les refroidir un peu avant de les mettre sur une grille et de faire cuire le reste des rondelles.

Incorporez le gingembre haché dans la crème pâtissière. Posez une petite cuillère de crème sur chacune des rondelles refroidies, en l'étalant jusqu'à 5 mm du bord. Disposez 3 ou 4 tranches de poire sur chacune. Posez les galettes sur une grille au-dessus d'un plateau de cuisson et arrosez-les de sirop. Servez immédiatement.

Bombes au chocolat

Pour 12 bombes
Temps de préparation : 45 mn
Durée totale : 3 h (temps de réfrigération inclus)

Par bombe :
Calories **150**
Protéines **5 g**
Cholestérol **15 mg**
Total des lipides **9 g**
Acides gras saturés **5 g**
Sodium **140 mg**

250 g de fromage blanc, granuleux, maigre
30 g de sucre semoule
4 c. à s. de crème fleurette
le zeste râpé de 1/2 citron
30 g de cerises confites, finement hachées
30 g de gingembre confit, finement haché
1 c. à s. de Tia Maria
30 g de noix, décortiquées, finement hachées

Revêtement en chocolat

90 g de chocolat à croquer
45 g de beurre
2,5 cm de gingembre confit, haché, pour la décoration

Passez le fromage blanc dans un bol, ajoutez le sucre et la crème et fouettez avec un batteur électrique jusqu'à avoir un mélange très léger. Répartissez-le également dans deux bols, ajoutez le zeste de citron, les cerises et le gingembre dans un bol et incorporez dans le contenu de l'autre le Tia Maria et les noix. Réservez l'un et l'autre.

Des boîtes à œufs en plastique vous serviront de moules pour les bombes. Chemisez 12 moules avec de la pellicule plastique, répartissez dans ces moules le mélange aux fruits confits, lissez-en la surface et posez dessus, en le répartissant de la même manière, le mélange aux noix. Lissez de nouveau et mettez les bombes au réfrigérateur 2 heures.

Préparez le revêtement : mettez le chocolat et le beurre dans un petit bol, enfournez et faites cuire à 50 % pendant 3 ou 4 mn jusqu'à ce que le chocolat soit fondu. Remuez pour avoir une pâte lisse et laissez refroidir jusqu'à ce qu'elle commence à durcir.

Démoulez les bombes sur une planche et retirez la pellicule plastique. Passez une spatule en métal sous une des bombes, tenez-la au-dessus du chocolat fondu et versez délicatement de pleines cuillerées de chocolat sur la bombe en l'étalant avec un couteau pour l'enduire d'une couche homogène. Posez-la sur une grille et striez-en la surface avec les dents d'une fourchette. Enduisez de la même manière les autres bombes et décorez chacune de gingembre.

Attendez pour servir que le revêtement en chocolat soit complètement durci, soit 10 à 15 mn.

NOTE : *ces bombes se conservent jusqu'à 4 jours, au réfrigérateur.*

Écorces d'agrumes confites

Pour 36 bâtonnets
Temps de préparation : 1 h
Durée totale : 2 jours et 3 h (temps de macération inclus)

Par bâtonnet :
Calories **50**
Protéines **traces**
Cholestérol **0 mg**
Total des lipides **1 g**
Acides gras saturés **traces**
Sodium **2 mg**

1 citron
1 orange
1 c. à c. de bicarbonate de soude
350 g de sucre semoule
60 g de chocolat au lait
45 g de chocolat à croquer

Lavez les fruits. Taillez la peau en quartiers et détachez-les délicatement pour qu'ils restent entiers.

Mettez le bicarbonate de soude dans un bol, ajoutez en remuant 60 cl d'eau bouillante, plongez dedans les quartiers de peau, posez dessus une soucoupe pour qu'ils restent immergés et laissez-les s'attendrir pendant 20 mn. Égouttez-les, rincez-les et coupez-les en lanières de 5 mm de large ; mettez-les dans un bol contenant 45 cl d'eau froide, couvrez en laissant un côté ouvert, enfournez et faites cuire à 100 % pendant 25 mn, en remuant une fois, jusqu'à ce que la peau soit bien tendre. Égouttez.

Mélangez le sucre semoule avec 30 cl d'eau froide dans un bol de 1,75 litre (dans un bol plus petit, le sirop de sucre chaud risque de déborder). Enfournez et faites cuire à 100 % pendant 8 mn, en remuant 2 ou 3 fois, jusqu'à ce que le sucre soit complètement dissous. Plongez les bâtonnets dans le sirop, couvrez et laissez macérer pendant 2 jours. Retirez les bâtonnets du sirop et posez-les sur une assiette. Ajoutez le reste du sucre dans le sirop, enfournez et faites cuire à 100 % pendant 6 mn. Remettez les bâtonnets dans le sirop bouillant et faites cuire à 100 % pendant 10 à 13 mn jusqu'à ce qu'ils soient translucides. Surveillez-les attentivement vers la fin du temps de cuisson car ils risquent de brûler si vous les laissez trop longtemps.

Disposez une feuille de papier sulfurisé dans le four à micro-ondes. Égouttez bien les bâtonnets, étalez-les, dessus, en une seule couche, et faites-les cuire pendant 24 mn à 50 %, en les déplaçant toutes les 6 mn pour leur assurer un séchage uniforme. Ils sont prêts quand ils sont juste secs et semblent couverts de sucre. Laissez-les refroidir.

Cassez le chocolat au lait en morceaux dans un bol, enfournez et faites-le cuire à 50 % pendant 2 1/2 ou 3 mn jusqu'à ce qu'il soit fondu. Remuez bien pour qu'il soit lisse, prenez un bâtonnet d'orange, avec les doigts et plongez-le à moitié dans le chocolat fondu puis posez-le sur une feuille de papier sulfurisé. Faites de même avec tous les autres bâtonnets d'orange. Faites fondre ensuite, de la même manière, le chocolat à croquer et plongez dedans, à moitié, les bâtonnets de citron. Laissez durcir les bâtonnets pendant 10 mn.

NOTE : *les bâtonnets peuvent être conservés jusqu'à 3 mois dans des récipients étanches. S'ils sont enrobés de chocolat, vous ne les conserverez que 3 semaines, au réfrigérateur.*

Glossaire

Amaretto : liqueur au goût d'amande.
Armagnac : eau-de-vie originaire de la région d'Armagnac dans le Gers, au goût plus prononcé que celui du cognac.
Arrow-root : sorte d'amidon, extrait de la racine d'une plante tropicale, utilisé pour épaissir sauces et puddings. Il devient transparent une fois cuit.
Avoine (flocons d'—) : céréale faite avec de l'avoine réduite en farine avant d'être cuite à la vapeur, roulée en flocons et séchée.
Bicarbonate de soude : agent levant utilisé dans la confection de la pâtisserie. Son action est stimulée en présence d'un acide tel que le vinaigre ou la mélasse.
Cacao (poudre de) : poudre obtenue en broyant les fèves de cacao torréfiées, que l'on a ensuite débarrassées de la plus grande partie de la graisse (beurre de cacao).
Caissettes à confiserie : petites caissettes en papier destinées à contenir une confiserie ou un petit four. Celles qui vont passer au four doivent être en papier non paraffiné.
Calorie (et kilocalorie) : unité mesurant la valeur énergétique d'un aliment.
Caraméliser : faire chauffer du sucre (ou un aliment naturellement riche en sucre) jusqu'à ce qu'il brunisse et devienne sirupeux.
Cardamome : plante de la famille du gingembre dont on utilise les graines séchées à la saveur douce-amère ou les capsules entières.
Cassonade : sucre brun foncé, extrait du jus de canne à sucre qui n'a été raffiné qu'une fois.
Chocolat : le produit raffiné de la fève de cacao. Pour la pâtisserie et la confiserie, il faut choisir un chocolat noir, de bonne qualité, contenant une forte proportion de beurre de cacao et de particules solides de cacao et peu ou pas de graisses végétales.
Cholestérol : substance grasse fabriquée par l'organisme et que l'on trouve dans les aliments d'origine animale. Quoique nécessaire au bon fonctionnement de l'organisme, l'excédent risque, en se déposant dans les artères, de provoquer des troubles coronariens (cf. graisses monoinsaturées, graisses polyinsaturées et graisses saturées).
Coing : petit fruit dur à la peau verte et jaune et au goût acide que l'on ne peut consommer cru. Sa chair rosit à la cuisson.
Confiture sans adjonction de sucre : confiture où n'entre que le sucre naturel des fruits (fructose) plutôt que du sucre raffiné (saccharose). Une fois le bocal ouvert, elle ne peut pas être conservée au-delà de 2 semaines.
Farine de maïs : maïs séché et finement moulu.
Farine complète : farine de blé qui contient la totalité des graines de blé et rien de plus. Plus riche en vitamines que la farine ordinaire, elle est de surcroît une source de fibres alimentaires.
Fibres alimentaires : fibres végétales qui parcourent le tube digestif sans être digérées mais qui facilitent le transit intestinal. On les trouve essentiellement dans le son des farines complètes, toutes les crudités ainsi que les fruits secs.
Filo : pâte vendue en feuilles d'une extrême finesse. Faite de farine et d'eau, elle sert à la fabrication de pâtisseries ou de spécialités grecques ou moyen-orientales. Peut être fabriquée chez soi ou achetée, fraîche ou surgelée, dans des boutiques de produits moyen-orientaux. Les feuilles surgelées, séchant rapidement à l'air, doivent être mises à dégeler au réfrigérateur et les feuilles non utilisées devront être couvertes d'un linge humide.
Fleur d'oranger (eau de —) : liquide incolore obtenu par distillation des fleurs de l'oranger, utilisé pour parfumer tisanes et desserts.
Fruit de la passion : fruit tropical ovoïde, juteux et parfumé, à la peau ridée, à la chair jaune piquée de pépins noirs. Les pépins sont comestibles, la peau ne l'est pas.
Gélatine : protéine, virtuellement insipide, vendue en poudre ou en feuilles. Dissoute et incorporée dans un dessert avant de le mettre au réfrigérateur, elle le fixe en le gélifiant, ce qui lui permet de conserver sa forme une fois démoulé.
Gingembre : plante dont le rhizome charnu, en forme de racine de couleur chamois, s'emploie comme condiment. Il ne faut jamais substituer, dans une recette, du gingembre séché au gingembre frais.
Gingembre (— au sirop) : morceaux de gingembre pelé, conservés dans du sirop de sucre.
Glaçage : couche mince et brillante de confiture ou de caramel fondus, recouvrant la surface d'une tarte ou d'un gâteau.
Graisses monoinsaturées : l'un des trois types de graisses que l'on trouve dans les aliments. On considère que les graisses monoinsaturées n'augmentent pas le taux de cholestérol dans le sang.
Graisses polyinsaturées : l'un des trois types de graisses que l'on trouve dans les aliments. Existe en abondance dans diverses huiles végétales telles que huile de carthame, huile de tournesol, huile de maïs et huile de soja. Les graisses polyinsaturées réduisent le taux de cholestérol dans le sang.
Graisses saturées : l'un des trois types de graisses que l'on trouve dans les aliments. On les trouve en abondance dans les aliments d'origine animale ainsi que dans les huiles de coco et de palme. Elles augmentent le taux de cholestérol dans le sang.
Étant donné qu'un taux élevé de cholestérol dans le sang peut être la cause de maladies cardio-vasculaires, les graisses saturées ne doivent pas représenter plus de 15 pour cent de la ration calorique quotidienne.
Grand Marnier : liqueur à base de cognac et de zeste d'orange.
Grenade : fruit à la peau rouge, mûri en automne, dont on consomme les graines, qui sont délicieuses, après les avoir détachées des membranes blanches et amères que l'on jette.
Kirsch : eau-de-vie de cerises, souvent utilisée pour faire macérer des desserts aux fruits.
Kiwi : fruit ovoïde à la peau rugueuse de couleur chamois, à la chair verte, légèrement acide, piquée de minuscules points noirs, très riche en vitamines C. Pelé et coupé en rondelles, il décore agréablement tartes et salades de fruits.
Kumquat : petit fruit orangé ovale dont on peut consommer la peau et la chair.
Levure chimique : la cuisson au four, en libérant le gaz carbonique que cette poudre contient, fait lever la pâte des gâteaux ou des biscuits à laquelle on l'a mélangée.
Maïzéna : poudre blanche tirée des grains de maïs et utilisée pour épaissir sauces et puddings. Comme l'arrow-root, cet agent épaississant, plus efficace que la farine, devient transparent une fois cuit. Un liquide contenant de la maïzéna doit, en début de cuisson, être remué constamment pour éviter qu'il ne se forme des grumeaux.
Mangue : fruit tropical dont la chair jaune-orangée, savoureuse et très sucrée, est extrêmement riche en vitamine A. Comme la papaye, elle peut provoquer des allergies.
Marsala : vin doux sicilien, au goût de caramel.
Meringue : mélange très aéré de blancs d'œufs, battus en neige très ferme, et de sucre. Sert de base pour la confection de mousses et de soufflés. On l'incorpore aussi dans divers desserts et on l'utilise pour faire des petites corbeilles comestibles que l'on remplit ensuite de glace ou d'autres desserts glacés.
Moule à génoise : moule rectangulaire peu profond (2,5 cm au maximum).
Moule à savarin : moule circulaire en forme d'anneau. Sa forme particulière double la surface du gâteau exposée à la chaleur, abrégeant d'autant la durée de la cuisson.
Papier sulfurisé : papier traité aux silicones, pour offrir une surface qui n'attache pas. On l'utilise pour recouvrir le fond de plats — ou envelopper des aliments — allant au four.
Pavot (graines de —) : graines sphériques noires d'une variété de pavot, qui servent à décorer biscuits et gâteaux. Elles sont si petites qu'il en faudrait près d'un million pour faire 500 g.
Pignons : graines de la pomme de pin. Leur saveur est exaltée quand on les fait griller.
Pistaches : très appréciées pour la finesse de leur goût et leur belle couleur verte. Doivent être décortiquées et blanchies avant d'être pelées.
Pocher : on fait pocher un aliment en l'immergeant dans un liquide qui frémit à peine pour qu'il ait plus de goût et ne se dessèche pas. On peut faire pocher des fruits dans de l'eau ou du sirop léger.
Porto : vin doux de dessert, originaire de Porto (sur la côte portugaise), enrichi avec un peu de cognac et généralement vieilli dans des fûts en bois.
Ramequin : petit moule circulaire en verre ou en porcelaine dans lequel on fait cuire au four (ou dans lequel on sert) une portion individuelle.
Réduire : faire bouillir un liquide afin de l'épaissir ou de concentrer son goût.
Ricotta : fromage doux italien fait avec du lait de vache ou de brebis. La ricotta maigre utilisée dans les recettes de ce livre ne contient que 20 % de matières grasses.
Rose (eau de —) : produit de la distillation de pétales de rose. Il sert à aromatiser des boissons ou des desserts.
Safran : crocus cultivé pour ses fleurs dont les stigmates séchés sont utilisés comme aromates. Ils donnent aux aliments une couleur jaune intense et une forte saveur. Le safran en poudre peut remplacer les stigmates, mais son goût est moins prononcé.
Savarin : gâteau à la levure fraîche imbibé de sirop

et aromatisé au rhum ou au cognac, ainsi nommé en souvenir de Brillat-Savarin, écrivain et gastronome.
Sodium : oligo-élément qui assure l'équilibre des fluides de l'organisme. On le trouve surtout dans le sel de table composé à 40 % de sodium. Un excès de sodium peut provoquer de l'hypertension, un des facteurs favorisant les maladies cardio-vasculaires. Une consommation quotidienne de 1 cuillerée à café (5,5 g) de sel, soit 2 132 mg de sodium, dépasse légèrement le maximum estimé souhaitable par l'Organisation Mondiale de la Santé.
Streusel : une pâte grossièrement émiettée à base de farine, de beurre, de sucre et d'aromates, utilisée pour garnir ou recouvrir un dessert.
Sucre glace : sucre cristallisé très finement moulu et additionné d'une petite quantité d'amidon qui lui donne sa consistance farineuse. Sa capacité à se dissoudre instantanément en fait l'édulcorant idéal des desserts dont la texture doit être lisse.
Sucres roux : ces sucres, dont la couleur varie du beige pâle au brun, sont souvent obtenus en raffinant plus ou moins le sucre de canne. On peut aussi obtenir cette coloration en incorporant plus ou moins de mélasse à du sucre déjà totalement raffiné. L'avantage sur le plan diététique est faible et ces sucres sont surtout appréciés pour leur saveur.
Sucre vanillé : sucre aromatisé par une gousse de vanille entière que l'on a enfermée une semaine dans le bocal qui le contient.
Tia Maria : liqueur antillaise à base d'alcool naturel produit par la distillation de la canne à sucre et aromatisée au café.
Vanille (extrait de —) : liquide obtenu en faisant macérer les gousses de vanille dans une solution alcoolisée. La vanille artificielle est synthétisée à partir d'huile de clous de girofle.
Vanille (gousse de —) : gousse fermentée et nettoyée d'une orchidée grimpante originaire d'Amérique Centrale, utilisée pour aromatiser les desserts. On peut immerger la gousse dans un liquide, ou la fendre puis en gratter l'intérieur pour en détacher les pépins.
Yaourt : lait caillé à l'aide d'un ferment spécial, à la texture lisse et crémeuse. Le yaourt maigre contient à peu près 0,1 % de matières grasses ; la variété plus crémeuse préparée avec du lait entier en contient 10 pour cent.
Zeste : partie colorée de l'écorce d'un agrume, sans la peau blanche amère. Le zeste renferme les huiles essentielles du fruit.
Zestes (mélange de — confits) : zestes de divers agrumes, que l'on a fait tremper dans un sirop de sucre concentré. On peut acheter les zestes entiers ou déjà hachés.

Index

Sources des illustrations

Couverture : Martin Brigdale. 4 : haut, James Murphy ; bas gauche, Graham Kirk ; bas droite, Simon Butcher ; 5 : gauche et bas, James Murphy ; droite, Chris Knaggs : 6 : Chris Knaggs. 10-11 : Andrew Whittuck. 12 : haut, Ian O'Leary ; bas, John Elliott. 13 : John Elliott, sauf bas à droite par Ian O'Leary. 14-15 : Chris Knaggs. 16 : James Murphy. 17 : John Elliott. 18 : Chris Knaggs. 19 : Graham Kirk. 20-21 : Jan Baldwin. 22 : Simon Butcher. 23 : haut, David Johnson ; bas, Chris Knaggs. 24 : Martin Brigdale. 25 : Graham Kirk. 26 : Martin Brigdale. 27-28 : Chris Knaggs. 29 : haut, Graham Kirk ; bas, John Elliott. 30 : Chris Knaggs. 31 : Graham Kirk. 32 : Chris Knaggs. 33 : Graham Kirk. 34 : Chris Knaggs. 35 : James Murphy. 36-38 : Chris Knaggs. 39 : James Murphy. 40 : Chris Knaggs. 41 : haut, Chris Knaggs ; bas, Jan Baldwin. 42 : Simon Butcher. 43 : Jan Baldwin. 44-45 : Martin Brigdale. 46 : David Johnson. 47 : James Murphy. 48 : Chris Knaggs. 49 : John Elliott. 50 : James Murphy. 51 : John Elliott. 52 : Chris Knaggs. 53 : Graham Kirk. 54 : Simon Butcher. 55 : Ian O'Leary. 56 : Simon Butcher. 57 : Chris Knaggs. 58 : Graham Kirk. 59 : John Elliott. 60 : James Murphy. 61 : Ian O'Leary. 62 : Chris Knaggs. 63 : James Murphy. 64-65 : Chris Knaggs. 66 : haut, Graham Kirk ; bas, John Elliott. 67 : Graham Kirk. 68-69 : John Elliott. 70 : haut, Martin Brigdale ; bas, John Elliott. 71 : John Elliott. 72 : Jan Baldwin. 73 : Simon Butcher. 74 : James Murphy. 75-76 : Graham Kirk. 77 : Ian O'Leary. 78 : Jan Baldwin. 79-80 : James Murphy. 81 : Martin Brigdale. 82 : Simon Butcher. 83-85 : James Murphy. 86 : John Elliott. 87 : haut, John Elliott ; bas, Jan Baldwin. 88 : Chris Knaggs. 89 : Graham Kirk. 90 : David Johnson. 91 : John Elliott. 93 : James Murphy. 94 : John Elliott. 95-96 : James Murphy. 97 : Ian O'Leary. 98. John Elliott. 99 : Ian O'Leary. 100-101 : David Johnson. 102-103 : Chris Knaggs. 104 : James Murphy. 105-106 : Jan Baldwin. 107 : Chris Knaggs. 108 : Martin Brigdale. 109 : Simon Butcher. 110 : Chris Knaggs. 111 : David Johnson. 112 : Chris Knaggs. 113 : David Johnson. 114 : Chris Knaggs. 115 : Martin Brigdale. 116 : Graham Kirk. 117 : haut, Martin Brigdale ; bas, John Elliott. 118 : Jan Baldwin. 119 : David Johnson. 120 : Jan Baldwin. 121 : Chris Knaggs. 122 : haut, Graham Kirk ; bas, John Elliott. 123 : David Johnson. 124 : Jan Baldwin. 125-126 : Martin Brigdale. 127 : James Murphy. 128 : Martin Brigdale. 130 : Chris Knaggs. 131 : Simon Butcher. 132 : Jan Baldwin. 133 : Martin Brigdale. 134 : John Elliott. 135 : Chris Knaggs. 136-137 : James Murphy.

Remerciements

L'index de cet ouvrage a été préparé par Myra Clark. Les éditeurs sont particulièrement reconnaissants à : Paul van Biene,Londres ; René Bloom, Londres ; Maureen Burrows, Londres ; Alexandra Carlier, Londres ; Windsor Chorlton, Londres ; Eleanor Coleman, Londres ; Jonathan Driver, Londres ; Neil Fairbairn, Wivenhoe, Essex ; Formica, Newcastle, Tyne et Wear ; Tim Fraser, Londres ; Irena Hoare, Londres ; Molly Hodgson, Richmond, Yorkshire ; Perstorp Warerite Ltd., Londres ; Mario Pezzotta, Londres ; Katherine Reeve, Londres ; Sharp Electronics (U.K.) Ltd., Londres ; Jane Stevenson, Londres ; Miranda Tonbridge, Londres ; Toshiba (U.K.) Ltd., Londres.

Les éditeurs tiennent également à remercier les fabricants et les détaillants suivants qui ont gracieusement fourni les objets de décoration : sauf mention contraire, tous ont leur siège à Londres.

4 : haut : fourchette, Mappin & Webb orfèvres ; bas gauche : marbre, W.E. Grant & Co. (Marble) Ltd. ; bas droite : serviettes, Kilkenny ; 5 : gauche : porcelaine, Royal Worcester, Worcester ; nappe en dentelle, Laura Ashley Ltd. ; 17 : assiette, Inshop ; 19 : porcelaine, Fortnum & Mason ; 22 : fourchette, Mappin & Webb Orfèvres ; 23 : bas : poterie, Winchcombe Pottery, The Craftsmen Potters Shop ; marbre, W.E. Grant & Co. (Marble) Ltd. ; 24 : porcelaine, Fortnum & Mason ; 27-28 : porcelaine, Villeroy & Boch ; 29 : haut : marbre, W.E. Grant & Co. (Marble) Ltd. ; 31 : assiette, The Conran Shop ; 32 : poterie, Kilkenny ; 33 : porcelaine, The Conran Shop ;34 : porcelaine, Royal Worcester, Worcester ; argenterie, Mappin & Webb Orfèvres ; 37 : marbre, W.E. Grant & Co. (Marble) Ltd. ; 38 : assiette, Hutschenreuther (U.K.) Ltd. ; marbre, W.E. Grant & Co. (Marble) Ltd. ; 42 :serviettes, Kilkenny ; 47 : nappe en dentelle, Laura Ashley Ltd. ; 50 : fourchette, Mappin & Webb orfèvres ; 52 : assiettes, Royal Worcester, Worcester ; 54 : assiette, tasse et soucoupe, Chinacraft Ltd. ; 55 : porcelaine, Royal Worcester, Worcester ; nappe en dentelle, Laura Ashley Ltd. ; 57 : porcelaine, Hutschenreuther (U.K.) Ltd. ; 58 : plat, Hutschenreuther (U.K.) Ltd. ; 59 : assiettes, Royal Worcester, Worcester ; fourchettes, Mappin & Webb orfèvres ; 60 : assiette, A. & J. Young, The Craftsmen Potters Shop ; 62 : assiette, Inshop ; 64 : marbre, W.E. Grant & Co. (Marble) Ltd. ; 66 : haut : assiette, Fortnum & Mason ; 67 : assiettes, Villeroy & Boch ; 68 : assiettes, Villeroy & Boch ; fourchette, Mappin & Webb orfèvres ; marbre, W.E. Grant & Co. (Marble) Ltd. ; 69 : assiettes, Royal Worcester, Worcester ; marbre, W.E. Grant & Co. (Marble) Ltd. ; 70 : assiette, Hutschenreuther (U.K.) Ltd. ; fourchette, Mappin & Webb orfèvres ; 71 : porcelaine, The Conran Shop ; 73 : porcelaine, Villeroy & Boch ; 75 : assiette, The Conran Shop ; 76 : porcelaine, Villeroy & Boch ; 77 : porcelaine, Hutschenreuther (U.K.) Ltd. ; argenterie, Mappin & Webb orfèvres ; 78 : assiette, Chinacraft Ltd. ; marbre, W.E. Grant & Co. (Marble) Ltd.; 79 : porcelaine, Chinacraft Ltd. ; fourchette, Mappin & Webb orfèvres ; plat à gâteau, Line of Scandinavia ; 81 : porcelaine, Hutschenreuther (U.K.) Ltd.; serviette, Kilkenny ; 82 : grand plat, Rosenthal (Londres) Ltd. ; 84 : porcelaine, Royal Worcester, Worcester ; nappe en dentelle, Laura Ashley Ltd. ; 85 : assiette, Spode, Worcester ; 86 : porcelaine, Hutschenreuther (U.K.) Ltd. ; fourchette, Mappin & Webb orfèvres ; nappe, Ewart Liddell ; 88 : fourchette, Mappin & Webb orfèvres ; 89-90 : marbre, W.E. Grant & Co (Marble) Ltd. ; 91 : assiette, Hutschenreuther (U.K.) Ltd. ; fourchette, Mappin & Webb orfèvres ; 94 : assiettes, Inshop ; 95 : fourchettes, Mappin & Webb orfèvres ; 97 : porcelaine, Hutschenreuther (U.K.) Ltd. ; marbre, W.E. Grant & Co. (Marble) Ltd. ; 98 : porcelaine, Royal Worcester, Worcester ; 100 : marbre, W.E. Grant & Co. (Marble) Ltd. ; 101 : porcelaine, Hutschenreuther (U.K.) Ltd. ; 102-103, 109, 112 : marbre, W.E. Grant & Co. (Marble) Ltd. ; 115 : nappe en dentelle, Laura Ashley ; 116 : assiettes, Rosenthal (Londres) Ltd. ; 117 : plat, Fortnum & Mason ; assiette à dessert, Royal Worcester, Worcester ; 118 : porcelaine, Hutschenreuther (U.K.) Ltd. ; 120 : assiette, Royal Worcester, Worcester ; marbre, W.E. Grant & Co. (Marble) Ltd. ; 122 : marbre, W.E. Grant & Co. (Marble) Ltd. ; 124 : porcelaine, Hutschenreuther (U.K.) Ltd. ; 125, 127 : marbre, W.E. Grant & Co. (Marble) Ltd. ; 128 : assiette, Hutschenreuther (U.K.) Ltd. ; marbre, W.E. Grant & Co. (Marble) Ltd. ; 130 : assiette, Hutschenreuther (U.K.) Ltd. ; 131 : plat, Royal Worcester, Worcester ; marbre, W.E. Grant & Co. (Marble) Ltd. ; 132 : assiette, Hutschenreuther (U.K.) Ltd. ; nappe, Ewart Liddell ; 135 : bougeoirs, Mappin & Webb orfèvres. 136 : marbre, W.E. Grant & Co. (Marble) Ltd. ; 137 : porcelaine, Hutschenreuther (U.K.) Ltd.

Composition photographique par Photocompo Center S.A., Bruxelles, Belgique.
Photogravure par Fotolitomec, S.N.C., Milan, Italie.
Impression et reliure par Brepols S.A., Turnhout, Belgique.
Dépôt légal : octobre 1988.